光文社文庫

見知らぬ妻へ

浅田次郎

KOBUNSHA

見知らぬ妻へ ― 目次

見知らぬ妻へ

踊《おどり》子《こ》

遠い昔のことで、記憶には古いフランス映画のように紗《しゃ》がかかっている。景色や風俗はともかく、ヒロインの顔が思いうかばないのでは、物語にはならないかもしれない。

だがどうしても、僕は僕の青春の一瞬に、とどまることもなく通り過ぎたその少女の顔を捏《ねっ》造《ぞう》する気にはなれないのだ。だから彼女の顔は、僕の記憶の中と同様にぼんやりと紗のかかったままでいいと思う。

もしかしたら、本当にそういう顔立ちだったのかもしれないのだから。

名前は、ナオミといった。

苗字も知らないし、どういう字を書くのかも知らない。ただ仲間たちから、ナオミとだけ呼ばれていた。たぶんそれも本名ではないと思う。

赤い髪をしていた。

中途半端な染め方ではなく、赤というよりオレンジに近い、古めかしい形容をするのなら鴇《とき》色だ。

若い人はそんな昔に、そんな派手な髪の染め方があったのかと訝《いぶか》しむだろうが、実はかれこれ三十年ちかくも前のそのころは、サイケデリックといわれた原色の時代だった。

みんないつの間にか人の親になって、やれ髪を染めるな眉毛を剃るなピアスをするなと偉そうに説教をたれるが、実はおやじもおふくろも、三十年前はもっとひどかった。

髪を切りネクタイを締めたとたんに、僕もそういう自分はきれいさっぱり忘れた。まるで酷薄な成り上がり者が、苦労も貧しさも、人を愛したことすらも忘れてしまうように。

背は、中ぐらいだったと思う。もっともその時代の中ぐらいとは、一五五センチのことで、その伝で言うのなら一七〇センチに満たぬ僕も、当時は背の高い方だった。

僕のことはいい。ナオミのことだ。

肥《ふと》ってはいなかったが、しっかりとした筋肉質の、美しい肢体だった。それはおそらく、彼女の職業によるところが大きかったのだと思う。ナオミは踊子だった。

新宿の歌舞伎町にサンダーバードという大きな踊り場が開店したとき、ナオミはその店のサイケデリックなステージで、銀色のホットパンツを穿いて踊っていた。

ストロボの炸裂する闇の中で、僕は群衆に揉まれながら、分解写真のようにひとこまひとこまが止まって見えるナオミの姿を瞼《まぶた》に灼《や》きつけた。彼女の肢体は、どの動きのどの一瞬を捉えても、獣のしぐさのように美しかった。

サンダーバードには毎夜のように通った。
十五、六のころからずっと、根城は赤坂か青山だったのだが、外苑のカーチェイスで自慢のSSS《スリーエス》を潰《つぶ》してしまってから、足で通っても馬鹿にされない新宿に移ったのだった。
僕がかすり傷ひとつ負わずに車だけを潰したことを、親は喜んだ。これでおまえも医学部に行けると、病弱なせいで異常なくらい医者を尊敬している父は、勝手に決めた。

もっとも、父と母はとっくに離婚しており、それぞれに別の家庭を持っていたのだから、そんな親たちに未来を規定されるのは心外だった。

父も母も、新しい家庭を僕以上に大切にしていた。だから新宿の柏木《かしわぎ》に独《ひと》りでアパートを借り、勝手放題の高校生生活を過ごしていても、説教をされたことはなかった。

毎週日曜の朝、母のマンションに洗濯物を持って行き、齢《とし》の離れた弟とキャッチボールをし、その父親から愛情の代償のような小遣を貰って帰った。

月に一度、父の家に行き、やはり齢の離れた弟と妹に造りものの笑顔を向け、その母親から笑顔の分だけの小遣を貰って帰った。

学費と生活費と正式の小遣は、毎月の月末に弁護士の事務所に取りに行った。律義者の弁護士は僕がその生活を始めた高校一年の初めには、親がわりの心配をし、激励もしてくれたが、何ヵ月かすると受付に現金の入った封筒が用意してあるきりになった。

学校には何の見栄《みえ》も衒《てら》いもなく、ありのままの事情を説明してあった。だから教師は父母会に親が行かなくても何ひとつ文句は言わず、提出する書類や家庭連絡がすべて僕の自筆であることも承知していてくれた。

僕はどんなに勝手をしていても学校を休むことがなかったし、成績も良かった。

僕のことはいい。そう、ナオミのことだ。

彼女は長い間、僕にとって現実のものではなかった。サンダーバードのステージの上で踊るナオミは、雑誌のグラビアを飾るモデルや、テレビタレントと同じ存在だった。

そんなナオミが、初めて現実の女として僕の世界に立ち入ってきた日のことを、僕は克明に記憶している。

歌舞伎町の裏街に、朝まで踊れる小さな店があった。一階は渋い好みのカウンター・バーで、奥の螺旋階段を下りると、十坪ほどのスペースにジューク・ボックスが置かれていた。深夜になると、その小さな店は踊り足らぬ子供らで一杯になった。

雨の降る夏の夜だったと思う。遊び仲間のマモルと連れだってその店に行き、地下に下りると、壁回りの椅子にナオミがいた。紺色のタンクトップの肩に、カタギには見えぬ男が毛むくじゃらの腕を回していた。

向かいの席に座ってボーイにウイスキー・コークを注文してから、マモルが僕に耳打ちした。

「いい齢のヤー公が、だせえよな。女くどいてやがる。あいつ、サンダーバードの踊子だろ?」

「どうだっていいじゃねえか。勝手にやらしとけ」

僕はジューク・ボックスにコインを放り込み、オーティス・レディングをかけた。ステップを踏みながら、ナオミに目配せを送った。

そいつがいやならダチのふりをして声をかけな、と言ったつもりだった。たぶん意思は通じたと思うが、ナオミは僕の誘いには乗らなかった。

踊り飽きて席に戻ると、マモルが囁《ささや》いた。

「なんだ、コー。おまえあの女に気があるんか？」

「冗談よせ。困ってるんなら助けてやろうとしただけだ」

「困ってねえってことか」

「ま、そうらしい。ヤー公だって裸になりゃやることは同じだ」

「けっこうマブいな、あいつ」

「さらう度胸あるか？」

「ねえよ。ばかくせえ」

僕らが話しているうちに、ナオミと男は店を出て行った。螺旋階段を昇って行くとき、きれいな脚だなと僕は思った。

店に捜索《ガサ》が入ったのはその直後だった。少年課の一斉補導だ。マスターがあだこうだと時間を稼いでいる間に、ボーイが螺旋階段を下りてきて、僕らだけに教えてくれた。

「コーちゃん、警察が来てる」

僕とマモルは他の客に気付かれぬようにトイレに行き、半地下の裏窓をよじ登って雨の路地に逃げようとした。

前にも一度、同じようにして難をのがれたことがあった。土曜の深夜が危いというのは知っていたが、まさかこんな雨の晩に一斉補導があるとは思ってもいなかった。

まず前のときと同じ手順で、身の軽い僕をマモルが地上に押し上げた。地面にはいつくばってマモルを引きずり上げようとしたとき、店の中から「そのまま、そのまま」と叫ぶ刑事の声が聴こえた。トイレのドアが開けられ、マモルは引き出されてしまった。一瞬、小窓を見上げた刑事と目が合った。はね起きて駆け出そうとする僕を、白い手が引き止めた。

「だめ、パトカーがいる」

ナオミはずぶ濡れの顔を僕の胸に寄せた。

「なんだよ、おまえ。男、どうしたんだよ」

「そこでさいならしたわ。抱いて。キスして」

命ずるようにナオミは言い、伸び上がるようにして僕の唇を奪った。

袋小路の先から、刑事がやって来た。

唇を重ねたまま、ナオミは訊《たず》ねた。

「名前、なんていうの？」

「コー。おまえは？」

「ナオミ」

僕とナオミはたがいの名前をそれらしく呼びかわしながら抱き合い、誰がどう見ても恋人同士のように唇をむさぼり合った。

刑事は僕らのラブ・シーンをしばらく観賞してから、「たいがいにしろよ」と言って立ち去った。

ナオミの唇は甘いミントの味がした。パトカーが路地の入口から去ってしまうまでの間――たぶん十分か十五分もの間、僕とナオミは雨に打たれたまま長い口づけを交わしていた。

ずっとそうしていたいと僕は思った。セックスとはちがったキスの快さに、僕はすっかり酔ってしまった。

「コー」と僕の名を呼びながら、ナオミは口の奥に隠していたミントのチューインガムを、舌先で僕の口にさし入れた。

ナオミの名を唇の端で呟きながら、奥歯に嚙みしめた女のやさしさとあたたかさを、僕は忘れない。

「体、乾かさなきゃ」

「ホテル行くか」

「ホテル？　やだ。するの、かったるい」

「しねえよ。風呂入って寝る」

「それじゃホテル代がもったいないわ」

「俺のヤサ、寄ってくか」

「親は？」

「いねえ。ひとり暮らし。フロないけど」

「しないよ」

「しねえってば。助けて貰ったんだから、毛布ぐらい貸すよ」

そんな会話をかわしながら、僕とナオミは職安通りをてくてくと歩いて帰った。真夜中の雨は銀色の針を撒《ま》いたように、僕らの上に降り続いていた。

甘い口づけの余韻が体に残っていた。それは僕にとって、かけがえのないものに思えた。理由はわからない。ただ体が、そう考えていた。だからセックスをしないと言ったのは、まんざら嘘ではない。そんなふうになれば、たちまち口づけの記憶は喪《うしな》われてしまうだろうと思った。その口づけはたとえば感動的な食前酒《アペリチフ》のように、食欲すらも忘れさせてしまう種類のものだった。

みちみち僕は親の愚痴を言った。

話しながらふしぎな気分になった。なぜなら僕は、マモルにも、どんな親しい友人にも、客観的な事実は口にしても愚痴を言ったことなどなかったからだ。

悪口雑言を並べたてるほどに、僕の体を支えていた芯が音を立てて折れた。ぽきり、ぽきりと。

ナオミが行きずりの女で、このさき愛し合う予定もセックスをすることもないだろうと思ったとたん、こらえ続けていた禁句が僕の胸から沫《しぶ》くように溢れ出たのだった。

そんな気分になった原因はほかにいくつもあったと思う。ナオミは僕の愚痴を聞くだけ聞いて、自分の身の上を何ひとつ語ろうとはしなかった。そして僕より二つ齢上で、僕が生れる前に肺炎で死んでしまったという、僕の姉と同じ年齢だった。そしてもうひとつ――銀色の針を撒き散らしたような雨は、暗い空から絶え間なく降り続いていた。僕は身じろぎもできぬ夜の底に追い詰められ、誰かに怒りをぶちまけなければ押し潰されてしまうすんでのところだったのだろう。

僕はアパートまでの夜道を、ぐずぐずと泣きながら歩いた。

ナオミの口づけは、張りつめた僕の心の空気をぷすりと抜いてしまったようだった。

たぶんそのことをナオミもわかっていたのだろう。多少の責任を感じたのかどうか、ナオミは夜道の途中からずっと、僕の腰を支えて歩いてくれた。

僕のアパートは柏木の泥川に面していた。

部屋の灯りをつけずに、僕らは背を向けて裸になった。

「コー。背中ふいてあげるよ」

タオルで背中を拭きながら、ナオミは僕の肌に頬をあずけた。

「何してんだよ」

「心臓がドキドキしてる」

「あたりめえだろ。生きてるんだから」

「つらいね」

「そうか?」

泣くだけ泣いて、僕はさっぱりとした気分になっていた。「つらいね」というナオミの言葉が僕の身の上を慮《おも》ってのことなのか、それともたった一言の彼女の愚痴だったのかはわからない。

僕らはシーツにくるまって夜の川を眺め、ひとつのコップでインスタント・コーヒーを啜《すす》り、万年床にぴったりと背をくっつけ合って、裸のまま眠った。

心は子供のように澄み切っていた。

ナオミは触れ合う尻の上で僕の掌を握り、僕が眠りに落ちるまで、見知らぬ雪国の話をしてくれた。

藤色の明け方にいちど唇を重ねた気もするが、夢かもしれない。

青梅街道の鬼子母神の裏に、「ブロンズ」というスナックがあった。

西口から歩道橋を渡ってほんの十分ほど、今ならさしずめ新都心の摩天楼の影にすっぽりと収まってしまうような場所だろう。放課後に新宿を経由して帰る高校生の溜り場だった。毎日四時から五時までの間は、何種類もの学生服で店は満席になった。

ブロンズの店内を思い出そうとするとき、きまって西陽《にしび》がステンド・グラスを通して彩《あや》かにさし入るさまが胸にうかぶのは、僕らがいつもその時刻にたむろしていたからなのだろう。

ナオミと何ごともなく朝を迎えたあの日から、何日か後のことだったと思う。僕らはみな、夏休みまでの日数を指折り算《かぞ》えていた。

あの朝、目覚めてみるとナオミはいなかった。学期末の試験が迫っていたので、サンダーバードにも螺旋階段の店にも、あの日以来行ってはいなかった。

「コー。あれ、おまえのやっちゃった、踊子じゃねえの」

と、先に気付いたのはマモルだった。

ステンド・グラスの向こうを、ナオミが通り過ぎて行った。

「やってねえよ」

「誰が信じるか」

「やってねえものは、やってねえって」

僕は帽子と鞄《かばん》を置いたまま、店を出た。

よう、と呼び止めたとき、ナオミはまるで僕が後を追っていることをあらかじめ知っていたかのように、笑いながら振り返った。タンクトップの上に、肌の透けるブラウスを羽織り、ジーンズを穿いていた。なりは派手だけれど、いい女だなと僕は思った。

「急ぐか」

「べつに、いいけど」

「伊勢丹、行こうぜ」

「何しに？」

「デパートに踊りに行くわけねえだろ」

僕はナオミの腕を摑《つか》んで歩き出した。あの日からずっと、考えていたことがあった。一斉補導から救って貰ったお礼に、そして生れて初めて愚痴を言わせて貰ったお礼に、折があったらナオミに何かを買ってやろうと思っていた。

「あいつ、パクられちまってさあ」

「あいつ、って？」

「マモル。一緒にいただろ、あのとき」

「ああ。そう、大変ね」

「したっけ、平気なんだ。あいつのおやじ警官《マッポ》だから」

前日に父と母の家を続けて訪ね、両方のつれあいからまるで申し合わせたような多額の小遣を貰った。理由はどちらも、「もうすぐ夏休みだから」だった。

くれるものは黙って受け取ったが、何だかその言いぐさは家族水いらずの夏休みを過ごすための厄介払いのように聞こえた。金額は忘れたが、ともかく高校生には過分の小遣だった。愛情を金で支払われたような気がしてならなかった。

だから僕はその金を、一日も早く、できるだけ無意味に使ってしまいたかった。ナオミはその消費先として、格好の相手に思えた。

「コー」と、ナオミが親しげに僕の名を呼んだのは、大ガードの下だったと思う。饐《す》えた風が靖国通りから青梅街道へと吹き抜けていた。ナオミは鴇色の長い髪を片手でかばいながら、「コー」と僕の名を呼んだ。

「コーは、彼女いないの」

「女？　――まあ、いるような、いないような」

「どういうこと、それ」

「いつでもやらしてくれる女は、三人いる」

「ふうん」と、ナオミは横目で僕を睨んだ。真偽を探るような目だった。

それは本当だ。一人は美人喫茶のウェイトレスで、自称二十三だがたぶん嘘だった。一人は広告会社のＯＬで、土曜の夜に高田馬場のアパートに泊りに行った。もうひとりはつい一月ほど前にサンダーバードでナンパした女子大生で、うっとうしいお嬢様だった。

「アパートに来ることあるの？」

「ねえよ。何だよおまえ、説教すんのか」

「そうじゃないけどね」

「おまえは、彼氏いるの」

「そうねえ」とナオミは、いつも花をくわえたような感じに引き締まった唇を、少しほころばせた。

「いるような、いないような」

「どういうことだ、それ」

「いつでも抱いてくれる男はひとりいるよ」

「おっさんか？」

僕は嫉妬を感じた。

「ううん。大学生」

その先は訊《き》かなかった。

「こないだのお礼に何でも買ってやるよ」

「ほんとに？」

「あぶく銭があるんだ。遠慮すんな」

僕とナオミはわずかな時間のあいだに、まるでゲームのような買物をした。花柄のサンドレス。白いエナメルの靴とバッグ。金の鎖に小さな真珠のついたペンダントには、留め金の裏に〝K to N〟という、恋人からのプレゼントのような刻印を捺《お》した。大きな熊のぬいぐるみも買った。

その日ナオミとは、歌舞伎町の横断歩道の上で別れた。店に急ぐナオミの後ろ姿を見送ると、心が軽くなった。うまい具合に、大荷物を他人にしょわせたような気がした。

期末テストが終わったらバイトを探そうと僕は思った。

夏休みの半分を、僕は副都心の工事現場で働いた。

顔見知りの手配師が紹介してくれた、実入りのいいアルバイトだった。給料は日払いで貰えたし、出稼ぎのおやじたちもみんないい人で、受験前にこんなことをしていていいのかと、親のように心配してくれた。

ところで、その肝心の親はどうしていたのかというと、母はつれあいの会社の保養所とやらへ行っており、父は那須の別荘に家族で行ってしまっていた。戸籍上の母という女から、こっちへ来て勉強をしろという絵葉書が届いたが、一瞥して裏の泥川に紙飛行機にして飛ばした。少なくともそれが彼女の意思でないことはわかりきっていた。

八月の初めに、マモルが一年早く大学生になったような派手なアロハを着て、ひょっこり工事現場にやって来た。

海に誘われた。そんな金はねえよ、と言うと、マモルはけっこう真顔で、おまえの遊ぶ金ぐらい持ってるよ、と言った。誘う仲間は他にいくらでもいただろうに、つまりマモルはそういうやつだった。

「ところでコー、おまえナオミとはどうなってるんだ」

「どうもなってねえよ。あれきりさ」

「わかんねえよなあ、コーの考えてることはよ」

「何も考えてねえもの」

「あんな女に金つかって、やることもやらねえでよ」

材木置場にしゃがみこんで、マモルは煙草を吹かしながら、乾いた蟻の巣に唾を落とした。

「あいつ、ヒモつきだぜ」

「ヒモ？」

「ああ。こないだお茶飲んでて聞いちまったんだ。バンドやってる大学生でよ、ナオミの部屋に住みついてるんだって」

「へえ——」

むしょうに腹が立った。マモルは僕の顔色を窺《うかが》いながら、少し言い迷った。

「あのよ、俺そのとき、ナオミに妙な頼まれごとをしたんだ」

「何だよ。男を追い出してくれってか」

「そうじゃねえよ。ガキができたから、父親ってことで一緒に病院へ行ってくれって——あ、俺は何にもねえよ、ナオミとは」

「べつにあったってかまわねえけど」

と、僕は心にもないことを言った。

「いや、ほんとはおまえに頼もうとしてブロンズに寄ったんだって。そしたら俺がたまたまいたもんでさ」

「ダッセエよなあ……いいよ、俺が行くから」

どうしてナオミは、同棲中の大学生に言わずに話を振ってきたのだろうと、僕は怪しんだ。

「もちろん言ったんだってよ。そしたら野郎ブルッちまって、いやなんだと」

「くだらねえ男だな」

「ああ、くだらねえ。どうせ田舎者ンだろ」

ふと、いらぬ詮索をした。

ナオミと大学生はそれなりに真剣な対話をしたのではなかろうか。子供を産むか産まぬかは二人の未来にかかわることだ。

口づけを交わした雨の晩の出来事が思い起こされた。もしかしたら、そのあたりがはっきりとしていなかったのではないか。母になるかもしれない体を、行きずりの男に抱かせるわけにはいかなかったのではないか、と。

僕は作業ヘルメットを地面に叩きつけた。

「くだらねえ野郎だな」と、僕はもういちど言った。


その夜、僕とマモルは酒を飲み、勢いを駆ってフーテン狩りをした。

工事現場の離れ島のような中央公園には、東口のグリーンハウスや西口の地下広場から流れて来たフーテンが、シンナーと薬でべろべろになって騒いでいた。

僕らはときどき虫の居所が悪くなると、そんな都会のゴミのような若者を捕まえて、半殺しの目に遭わせた。それが、フーテン狩りだ。

その晩は四、五人のフーテンを狩った。ふつうそれだけやれば、中には一人ぐらい殴りがいのある男はいるものなのだが、どういうわけかその日はどいつもこいつもサンド・バッグだった。

生煮えの気分で帰りかけたとき、僕はふと思いついた。

「マモル、おまえナオミのヤサ知ってるか」

「ブロンズの近くだよ。マスターは知ってるかもしらねえ。どうすんだ？」

「くだらねえ野郎をしめちまおうぜ」

もしかしたら、それがその夜の、僕らの目的だったのかもしれない。本当はそうだったのだと思う。だが、フーテン狩りの勢いを借りなければ、とうてい到達不可能な目的だった。

ブロンズのマスターに、アパートの大まかな場所を聞いた。そこがすぐにわかったのは、たぶん男がそういう運命にあったからなのだろう。

肩まで長い髪をたらした、後ろ姿だけでも十分にくだらない男は、路地裏の二階の窓枠に腰を下ろしてギターを弾いていた。

アパートを見上げて、僕はなるたけ警戒されぬように呼び止めた。

「君、ナオミの彼氏？」

男は不審げに僕を見た。

「そうですけど……」

「サンダーバードから来たんだけど。ナオミの忘れ物を取りに」

「忘れ物、ですか？」

「ちょっと開けてくれないかな」

急な階段を昇って、僕とマモルはナオミの部屋の前に立った。鍵が開いた。とたんにマモルが男の首を絞め上げた。抵抗したはずみに、ロウケツ染めのTシャツがびりびりに破れた。

痩せて肋《あばら》の浮き出た、そのくせ無意味なほど胸郭《きょうかく》の広い、壁のような裸を見たとたん僕は逆上した。

まったく抗《あらが》わぬ相手を、何の手加減もせずに痛めつけたのは初めてだった。僕は男が泣きわめくのもかまわず、顔面ばかりを殴りつけ、長い髪を握って引きずり回し、肋骨が音を立てるほど膝で蹴り上げた。

「もうやめとけって、コー。死んじまう」

マモルに羽交いじめにされて、僕はようやく拳をおろした。

殴られた理由がわかっているのかいないのか、男は血まみれの顔を僕の足元に伏せて子供のように泣いていた。僕はジーンズのポケットから、日当を貯めこんだ封筒を掴み出して男に叩きつけた。

「てめえの病院代だよ」

と僕は言った。たぶんその一言で、男は自分の殴られた理由はわかったと思う。

「すぐにここから出てけ。明日になってもまだウロウロしてやがったら、こんなハンパじゃすまねえぞ」

男の顔をスニーカーの先で力いっぱい蹴り上げてから、僕は部屋を出た。

ひどく蒸し暑い晩だった。

「やりすぎだよ、コー。どうかしちまったんじゃねえのか」

おまえナオミに惚れてんだろ、とマモルは言ったと思う。少なくともそれに近いことを、マモルは言った。そうでなければ、ブロンズの前でマモルまでを殴った理由は思いつかない。酒はとっくに抜けていた。

その晩、ナオミを抱く夢を見て下着を汚した。

女に不自由していなかった僕にとって、それは後にも先にも一度きりの経験だった。大勢でナオミを輪姦する夢だった。くだらない長髪の男も、マモルも、螺旋階段の店のボーイも、ヤクザ者も、ブロンズのマスターも、顔見知りの手配師も、工事現場のおやじたちもいた。みんなでめちゃくちゃにナオミを犯した。

台所で汚れた下着を洗っていると、ドアが叩かれた。時刻は真夜中だったと思う。宵っぱりのおみずばかりが住むアパートも、とうに寝静まっていた。

ドアを開けると、僕のパンチで目元を腫らしたマモルがつっ立っていた。

「こいよ」と、マモルは路地に向かって手招きをした。街灯の下に、大きなぬいぐるみを抱いたナオミがぼんやりと立っていた。

「あのよ、コー。考えてみりゃ、きょうはあすこに帰すわけにゃいかねえだろ。そうかと言って、俺んちってわけにもなあ。おやじ、非番だし」

「関係ねえよ」

と、僕はドアを閉めかけた。

「つれねえこと言うなよ、コー」

泣きべそをかいたマモルの顔は、万年巡査の父親に愕《おどろ》くほど似ていた。

いつだったか酔っ払ってひょっこり僕の実家を訪ね、玄関先で父に説教をしたという、おせっかいなおやじだ。

「おまえ、お巡りにでもなるんか」

ふと、マモルはナオミに惚れているのではないかと思った。いくらおせっかいなマモルでも、僕に対する友情だけでサンダーバードの裏口までナオミを迎えに行くはずはない。

マモルは僕の肩を引き戻して囁いた。

「今さっき歩きながら聞いたんだけどよ、あいつ、おまえのこと好きだってさ」

「関係ねえだろ。ヤサがねえんならホテル行けよ」

僕はマモルの胸を押し返して、路地まで聞こえるように言った。

「わけのわからねえことするなよ。やりてえんなら、ホテルに行きゃいいじゃねえか。それともおまえ、ハラボテじゃ気味悪いんか」

「ちがうって、そんなんじゃねえって。あいつ、コーのこと好きだっていうから」

「好いた惚れたってタマか。おまえもナオミも」

マモルは怒らずに、悲しい顔をした。

「コー。俺たち、マブダチじゃねえのか?」

かけがえのない親友だった。バカでグズで、取柄など何ひとつないやつだったけれど、マモルはそのころの僕を理解できる、世界でたったひとりの人間だった。

「コー。素直になれよ」

安アパートの玄関で、月明りの中のかかしのようにつっ立ったまま、マモルは僕の目を見据えて言った。

その一言は効いた。

「俺は素直だよ。どこもひねくれてなんかいねえよ。おまえらがみんな素直じゃねえんだ。ちがうか？」

言いながら、俺は何というひねくれ者なのだろうと思った。

そして、卑怯者だとも思った。僕には「不幸」という実績があるから、ちょっと気の効いたことを言えば誰もが黙ってしまうことを僕自身よく知っていたのだった。

マモルにまで不幸の免罪符をひけらかす僕は、男の風上にも置けぬ卑怯者だと思った。

僕は僕の目の前に提示された状況を、素直に受け止めることができなかった。ナオミを僕の部屋に送り届けて、マモルは帰ろうとしているにちがいなかった。

「ちょっと待ってろ」

僕は暗闇の中でジーンズを穿き、汗臭いポロシャツを着た。

「待てよ、コー。そりゃねえだろ」

「病院にはあした俺が連れてく」

僕は口笛を吹きながら部屋を出た。

通り雨が降ったのだろうか、街灯の下の水溜りに、ナオミは熊のぬいぐるみを抱いて立っていた。

「マモルはおまえに惚れてるってよ。よろしくな」

路地を出ると、僕は夜空にぽつんと聳《そび》える京王プラザの灯をめざして、やみくもに走った。

静まり返った工事現場の、濡れた鉄板の上に大の字に寝転んで、夜明けを待った。

ナオミを愛しているのかもしれないと思った。少なくとも、他の女の誰よりも、ナオミが僕の心を領有していることはたしかだった。恋という感情がどういうものか、十八歳の僕は知らなかったが、これがもし恋というものであるのなら、初めて会った雨の一夜も、何のみかえりも考えずに物を買ってやったことも、ヒモのような大学生を半殺しにしてしまったことも、およそ僕らしくない行動のすべては説明がつくような気がした。

恋をしてしまった自分の淫《みだ》らさに耐えきれず、僕は寝転んだまま拳を鉄板に打ちつけ、地団駄を踏んだ。

自分が一頭の牡であると初めて感じた。

朝早く、甲州街道を一時間も歩いて、母のマンションに行った。

ドアを開けたなり、幼い弟とその父親が朝食をとっていたにもかかわらず、僕は聞こえよがしに、女にガキができたから金をよこせと言った。

男は聞こえぬふりをして新聞を読んでいたが、母が青ざめた顔を向けると、箸《はし》の先を少し動かして、金をくれてやれというような意思表示をした。

相手はどんな人なの、問題は起きないの、ちゃんとしなけりゃだめじゃない、と母はいちおう親らしいことを言った。だがそれは僕の身の上を考えているからではなく、気まずい沈黙を塗りつぶす台詞《せりふ》であることはわかっていた。だから、ふてぶてしい不良を装って札束をひったくった。

僕に対する愛情と責任とのことごとくを、債権だと考えて金銭で支払おうとする彼らに向かって、僕がそのときとるべき正しい態度は他にあっただろうか。

たとえば僕がありのままを説明したとすれば、彼らはおそらく怯《おび》え、嘆き、慄《ふる》え、満足に叱ることすらもできなかっただろう。

なぜなら僕が母に要求した金は、僕のナオミに対する愛情と責任そのものだったのだから。

ナオミは饐《す》えた風の吹き抜けるアパートの窓辺で、ぼんやりと泥川を見つめていた。

「マモルは？」

「さっき、帰ったわ」

蒲団は敷かれたままだった。僕の枕と、二つ折にした座蒲団が並んでいた。

「熊が背中向けてるぜ」

「見られてるみたいでいやだったから」

僕の買ってやったぬいぐるみは、机の上に壁を向いて座り、おまけに頭からタオルが被せてあった。

冗談を言い合いながら、マモルとナオミは抱き合ったのだろうと思った。他に方法はあるまい。

「ちゃんとやったか、あいつ」

「したよ」

と、ナオミは僕に背を向けたまま、指を三本立てた。

「付き合ってやれよ。あいつ、いいやつだぜ」

「いい人だけど、べつに好きじゃないもの」

隣室から、夏の陽射しに似合わぬビートルズのバラードが聴こえてきた。言葉を探しあぐねて、僕は唐突に言った。

「病院、行こうぜ」

ナオミのタンクトップの背中が、ぴくりと揺らいだような気がした。

「いいよ、やめとく」

きっぱりと、そう言った。

僕に遠慮をしているのではなく、安易に言い返したのでもなく、ずっと考えた末に決心した言葉のように思えて、僕は膝の震えるほど愕いた。

「いいって……よかねえだろ」

「いいんだ、産むから」

「本気か、おまえ」

答えるかわりに、ナオミは鴇色の髪を窓辺の陽に輝かせて、ゆっくりと肯《うなず》いた。

「ねえ、チーク踊ってよ」

「よせよ、真昼間から」

「目をつむってれば、夜と同じよ」

ナオミは立ち上がって、僕の首に腕をからめた。目を閉じて、汗ばんだ頬を僕の頬に押しつけながら、耳元で囁くように唄った。

――ジスボーイ、トックマイラブ、アウェイ、ヒーリグレット、イッサムデェイ、バッディスボーイ、ワンチュウバック、アゲェイン……

窓ごしに流れこんでくるバラードに合わせて、ナオミは唄った。

曲に合わせて腰を抱き寄せると、しなやかな体の中に命のありかを感じた。

「ゆうべ、コーだと思って抱かれたからね」

「マモルが泣くぞ」

「お部屋もお蒲団も、コーの匂いでいっぱいだったから、ずっとそう思ってた」

僕の口づけを拒んだのは、たぶん涙を流していたからだろう。ナオミはゆったりとステップを踏みながら、まるで僕のぬくもりを体に移しかえようとでもするように、腰を押しつけてきた。

「ゆうべの、コーの子供だと思って育てる」

「どうして?」

「いい子になると思うから」

「そんなに甘かねえぞ」

「親が甘くたって、コーの子供ならちゃんと育つわ」

それからナオミは、また細い清らかな声で「ジス・ボーイ」を唄った。


母からせしめた金の使い途に困った。

何も札束に氏素姓があるわけではなかろうが、本来はどこに支払われるべき金であったのかと考えると、何がしかの有意義な形で消費しなければならないと思った。それは命の対価だった。

御茶ノ水に行き、駿河台の予備校で二学期からの講習を申し込んだのは、その日の夕方だったと思う。

受付で書類を書くとき、ひどく悩んだ。事務員に訝しがられながら煙草を何本も喫《す》い、干からびた咽《のど》にコークを流しこんで長いこと考えたあげく、決して父母の死に水は取らないという妙な誓いをたてて、医学部進学コースを選んだ。

書類を提出して費用を納め、夕まぐれの並木道に出たとき、ふしぎな気分になった。体の芯が折れてしまった。橋の上から、みるみる光を喪って沈んで行く夕陽を眺めた。春になったら、ビルディングも踊り場もしゃれた酒場もない遠い田舎町の大学に行こうと思った。

夏休みのうちに柏木のアパートから郊外の予備校の寮に引越した。高校に通うのにはずいぶん不便になったが、残る半年間は出席日数だけを満たせばいいと考えた。

僕はその夏、昆虫のように殻を捨てた。


ナオミを新宿駅で見送ったのは、夏休みのうちのことだったのだろうか。

いや、台風の影響で中央本線がどうかなっていやしないかと、待ち合わせた喫茶店で気を揉んだ記憶があるから、秋口だったのかもしれない。

三十年も昔の話で、いったいどうやってナオミと連絡をとったのか、なぜ嵐のホームで僕ひとりが旅立ちを送るはめになったのか、まったく前後の記憶は欠落している。

人間とは都合のよいもので、悪い思い出はすぐに忘れる。医学では説明のつかない心の問題だけれど、おそらく個体防衛の生理的な仕組が、何かしらあるのだろう。

まさか今さら同僚の専門医に、かくかくしかじかと質問をするわけにもいくまい。精神科医は必ず症例の具体的説明を要求するから、僕個人の体験だといって話を始めれば、たぶん作り話はよせよと笑うだろう。

マモルが、何らかの方法で僕に報《しら》せてくれたのだと思う。ほかに僕とナオミとを繋ぐ糸はない。

そう、初めて口づけを交わしたあの夜と同じに、縫針のような雨が降っていた。喫茶店でおち合ったとき、僕はナオミの変わりように目をしばたたいたものだ。もっともナオミも、決して混んではいなかった喫茶店で、きょろきょろと僕を探しあぐねていたから、わずかの間に僕も変わってしまっていたのだろう。

ひと夏のうちに、僕らは同じように脱皮をしたのだと思う。

ナオミはいつか僕が伊勢丹で買ってやったものを、そっくり身につけていた。花柄のサンドレスを着、白いエナメルの靴をはき、バッグを持っていた。少しふっくらとした感じのする首に、小さな真珠のついたペンダントを下げていた。うなじの留め金にはもちろん、〝K to N〟という刻印もあったはずだ。

髪を短く切ってしまっていた。「失恋しちゃった」と、ナオミは笑えぬ冗談を言った。もし熊のぬいぐるみを抱いていなかったら、見過ごしてしまったかもしれない。そのくらいの変わりようだった。

たいした話もせずに店を出た。地下道の雑踏を歩きながら、きのうまで踊っていたの、とナオミは言った。おしゃべりなディスク・ジョッキーが、ナオミはラスト・ステージだと言い、スポットを当てられて一人で踊ったのだそうだ。

僕はうっとりと、サンダーバードの小高いステージで、美しい獣のように踊るナオミの姿を想像した。僕の知る限り、ナオミは東京で一番の踊子だった。赤坂にも青山にも六本木にも、ナオミほどしなやかで魅惑的なステップを踏む踊子はいなかった。

0《ゼロ》番線というホームがあった。中央本線の特急が出発するその静かなホームで、僕とナオミは別れた。

色とりどりのイルミネーションに縁取られた、そこは四角い箱の底だった。夜空には嵐が鳴っており、あの夜と同じ細い雨が横ざまに僕らを濡らした。

数えるほどしか会うことのなかった僕らは、おそらく世界で一番言葉少なの恋人同士だったと思う。何しろ僕は、彼女がどこに帰るのかも知らず、その苗字すらも、ナオミという名前が本名なのかどうかも知らなかった。

だが、そんなことはどうでもよかった。名前などは、記号でもかまわなかった。死ぬまで損われず、傷つきもしない宝石のような記憶を、ナオミは僕の胸にそっと置き、そしてたぶん僕も、ナオミの白い腕にそれを托したと思うから。

ポロシャツを脱いで濡れたベンチに敷き、ナオミを座らせた。ネオンに隈《くま》取《ど》られた横顔の美しさを、僕は忘れない。短く切った髪が、思いがけない輪郭を浮き上がらせた。素顔がいい女だった。

何かを言わなければならないと僕は思った。思いつかぬうちに発車時刻を知らせるベルが鳴った。とっさに口から出たものは、僕が生れてこのかた、父にも母にも、友人の誰にも言ったことのない、ふしぎな言葉だった。

「ありがとう」

唇からその一言が転がり出たとたん、まるでシャンパンの栓がはじけ飛んだように、両方の目から涙がこぼれた。

「私も、ありがとう。忘れない。ぜったい忘れないから」

デッキに立つと、ナオミと僕はちょうど同じ背丈になった。ベルが鳴り終わるまでの間、僕らはじっと見つめ合っていた。

いつも花をくわえたように引き締まっていたナオミの唇が、帯のゆるむようにしどけなく壊れた。素顔の瞼のふちに涙をたたえて、ナオミは小さく叫んだ。

「コー」

ベルが鳴りおえ、ほんの一瞬の静寂の間に、僕はナオミの白い頬を両手で被って口づけをした。

心から愛した踊子の唇は、甘いミントの味がした。ホームの廂間《ひあわい》から大粒の滴《しずく》が流れて、僕らの額を濡らした。

愛らしい舌先が僕の口にチューインガムを送り届け、僕はそれをいちど舌で転がしてから、また彼女の口に返した。

それが僕とナオミの最後の会話だった。

ドアが閉まり、列車は雨を吹き散らしながら動き出した。ほんの何歩か後を追って、僕は歩くのをやめた。ガラスの中で白い花のように翻《ひるがえ》っていたナオミの掌は、すぐに見えなくなった。

ナオミの顔は忘れた。

正しい名前すら知ろうとしなかったのだから、顔を忘れたことに罪はあるまい。

ナオミの顔は忘れても、ナオミを愛したことを僕は決して忘れない。それはたとえば、喪われた宝石の記憶に似ている。

僕はあの夏、美しい踊子に恋をした。

スターダスト・レヴュー

その日の演目はウェーバーの序曲とシューベルトの弦楽四重奏、二十分の休憩をはさんでメンデルスゾーンの交響曲という内容だった。

オーケストラを聴くのは何年ぶりだろうと、飯村圭二《いいむらけいじ》は休憩時間のロビーでワインを飲みながら考えた。

土曜日の午後、たまたま通りすがったホールの玄関に「小谷直樹《こたになおき》凱旋記念コンサート」の看板を見つけ、矢も楯もたまらずにチケットを買った。タクトを振る小谷は表情も姿も愕《おどろ》くほど変わっていた。十年の歳月というより、十年の経験のせいだろう。

そういえば自分はたいして変わっていないな、と圭二は壁巻きの鏡を見ながら思った。

休憩時間にワインを飲むという習慣は、クラシック・コンサートのお定まりで、ロビーに出たとたん圭二もべつだん飲みたくもないグラスを手に取っていた。

それにしても、世の中は豊かになったものだ。数年前の好景気に便乗して、立派なコンサート・ホールが次々と落成した。当然それらを埋めるだけのスケジュールがあり、客もいることになる。文化というやつはけっこう金で買えるのだな、と思う。

ワイングラスを片手に歓談する周囲の声が一瞬静まったと思う間に、圭二は背中を叩かれた。

「やあ。チケットを送ろうと思ったんだが、住所がわからなくて」

コンサートの主役である小谷直樹が燕尾服のまま立っていて、圭二は再会を喜ぶより先にたじろいだ。

「あとで楽屋を訪ねるつもりだったんだが——俺のこと、よくわかったな」

「左の桟敷にいたじゃないか。ステージに入ったとたんにわかったさ」

と、小谷は長髪をかき上げて、あたりを憚《はばか》るように囁《ささや》いた。

「あの席、音が悪いだろう。次はメンデルスゾーンだから、あそこじゃラッパがやかましい。下におりてこいよ、席をとっておくから」

「いいよ。俺はおまえの棒振りを見にきたんだ。上の方が良く見える」

小谷に会うつもりはなかった。もちろん楽屋を訪ねる気などない。周囲の視線にさらされて、さてこの場をどう切り抜けたものかと圭二は考えた。

「なあ、飯村。あとで打ち上げをやるから、顔を出してくれよ。関東響のメンバーも、古株は知っているだろう」

「いや、せっかくだが仕事があるんでね。また日を改めて」

「仕事って、いまどこにいるんだ」

「え？　——ああ、オーケストラじゃない。俺な、リタイアしちまったんだ」

小谷は訊《き》き返そうとして口をとざした。リタイアという言葉にはあまりにも不穏《ふおん》な響きがある。音楽家は職人だ。

「音楽教室をやってるんだ。子供らにピアノを教えている」

もう少しましな嘘はないものかと、言ってしまってから圭二は悔いた。四十歳という年齢を考えれば、もっともらしい嘘ではあるが。

「チェロは弾いていないのか」

「そういうわけじゃないが、もうオーケストラはうんざりでね。もともと向いていない。中央フィルをやめたのも、監督と揉《も》めたんだ」

「そりゃおまえらしいけど……何だかもったいないね」

ファンらしい婦人が捧げ持ってきたワインを受け取り、小谷は笑顔を繕《つくろ》って握手を返した。

「ところで、結婚は？」

「あいにく、まだチョンガーだ。おまえは？」

「向こうで結婚した。子供も二人いる」

「小学生にバイエルを教えているうちは、まず無理だな——おい、時間だぞ」

小谷はロビーの時計を見上げ、気ぜわしげに名刺を押しつけた。しゃれた字体で「関東交響楽団音楽監督」とあり、裏には英語とドイツ語が並んでいた。

「あいにく名刺を切らしている。近いうちにこっちから連絡するよ」

実は名刺などこの十年、持ったことがなかった。

小谷は行方不明の指揮者を探しにきた進行係に圭二を紹介すると、垢抜けた握手をして去って行った。

シンフォニーは聴かずに、圭二はホールを出た。自分を紹介した小谷の言葉が妙に応《こた》えた。

(彼、芸大の同期なんだ。正面のS席に替えてくれ)

小谷の掌の汗ばんだ感触が、ありありと残っていた。


四方を濠や神社や御所やシティ・ホテルの敷地に囲まれているせいで、赤坂は膨らむことのない盛り場だ。

おそらく夜間飛行の空の高みから見おろせば、そこは真黒な森の中に蓋を開けた、小さな宝石箱のように輝いて見えることだろう。光の注ぎこむ唯一の道が乃木坂から細く延びているが、それとて脇に何歩か入れば、うっそうとした木立の闇に呑まれる。

「スターダスト」はそんな赤坂の光と闇の境い目に、舷灯のように古調な看板を掲げている。

飯村圭二の仕事は、小学生にバイエルを教えるほどまともではない。古いクラブでピアノを弾き、興が乗れば弾き語りに渋いジャズを唄い、求められればカラオケがわりに演歌の伴奏もする。

指揮者とのほんのつまらぬ行きちがいからオーケストラを辞めて失業していたころ、アルバイトのつもりで始めた仕事が、いつしか本業になった。

収入は楽団員よりもましだし、口よりもピアノの方が饒舌《じょうぜつ》な圭二にとって、そこは存外居心地のいい職場だった。ましてやタキシードが良く似合って、スタンダードナンバーをロマンチックに弾けるピアニストはそうそういない。圭二のピアノは「スターダスト」の売りになり、本職のチェロを忘れて十年が経った。

「スターダスト」は、ずいぶん昔に流行したサパー・クラブ──つまり銀座から流れてきた客とホステスが真夜中の食事をしながら恋のかけひきをする場所である。フロアにはランプシェードの灯るテーブルがゆったりとめぐらされており、窮屈なぐらいに育ってしまった棕櫚《しゅろ》の木が、グランド・ピアノのへこみを脅《おびや》かしている。

沼のように暗いフロアから一段上がったところに、立派なマホガニーのカウンターがあり、おとなしい、初老のバーテンダーがシェーカーを振っている。

ママ、というより、昔ふうにマダムと呼んだ方が全く似合う老店主は働き者で、ウェイターやコックに対しては少々口やかましい。若い彼らの腰が据わらぬのはそのせいなのだけれど、マダムはいっこうに気付かず、近ごろの子は辛抱がきかないと言っては嘆く。

店も土地も、空室だらけの古マンションもマダムの持物だから、赤字経営にはちがいないのだが、さほどの切迫感はない。

十年の時間が夢のように過ぎてしまったのも、たぶんそうした居心地の良さのせいなのだろう。

「おはようございまあす」と、いつに変わらぬ明るい声を上げて、ギタリストのマサルが階段を下りてきた。

「ねえ圭二さん。ピアノ、そろそろ調律しないとまずいですね。Gの音《ゲー》、とばしてるでしょ」

「わかるか？」

マサルは真赤な髪を顎で振り上げて、宝物のようにフェンダーのギターを拭き始める。みてくれはロック・バンドのようだが腕前は大したもので、勘もセンスも良い。アコースティック・ギター一本で圭二のピアノと遜色のないステージをこなせるギタリストは、二人とはいないだろう。ピアノとギターは三十分ごとに交替する。

圭二のピアノに合わせてチューニングを済ませると、マサルは手品のように鮮やかなアドリブを弾いた。

「スタインウェイのグランド・ピアノも、こう音痴になっちまったんじゃかたなしだな」

すっかり黄ばんだ鍵盤を拭い、圭二はFシャープと全く同じ音になってしまったGのキーを人差指の先で叩いた。

十年前、アルバイトが本業になってしまった責任は、こいつにもある、と思う。

　圭二の生家は子供にチェロを習わせるほど豊かだったのだが、父が早死して一挙に没落した。杉並の豪邸から郊外のマンションに引越し、スタインウェイのグランド・ピアノは中古のアップライトに変わった。常識で考えればそのとき音楽家の道はあきらめるべきだったのだが、母は拘《こだわ》った。

　この店に立派なスタインウェイが置いてなかったら、アルバイトさえしなかったと思う。開店前に出勤して思うさまその音色を堪能した結果が、つまりこういうことだ。

　ウェイターが掃除をおえ、ランプシェードの灯をともして行く。

「ねえ、圭二さん。きょういい話があるんだけど」

「なんだ。エリに子供でもできたか」

「冗談やめてよ。実はね――」

　ある高名なジャズバンドにギターの欠員ができて、突然お声がかかったのだと、マサルは言った。

「へえ。そりゃすごいじゃないか。いよいよチャンス到来ってわけだな」

　マサルのことを良くは知らない。べつに知りたくもないのだが、妙に人なつこいこの青年は、少し訛《なま》りの残る言葉で、問わず語りに話しかけてくる。

　ほんの百メートル先にある「シェラザード」のエリと付き合っていることも、知っているのは圭二だけだろう。

「さて、時間だ」

客がいようがいまいが、午後九時には店の名にちなんだ「スターダスト」のかけあいを始める。圭二のスタインウェイに合わせて、棕櫚の葉蔭のスツールに腰を下ろしたマサルのギターが、甘いスタンダード・ジャズの名曲を弾く。

マダムは帳面を片付け、老バーテンは蝶ネクタイを確かめ、黒服のウェイターたちは銀盆を抱えてホールの隅に並ぶ。夜の帳《とばり》が下りて行く——。

厨房を上って通用口をくぐると、沈丁花《じんちょうげ》の植込に囲まれた小さな公園があった。

滑り台は朽ちており、砂場は野良猫の便所になっているが、夜中には近くの店の従業員たちの格好の喫煙所になる。腰の据わらぬわりにはけっこう律義者が多いので、ベンチの前にはちゃんと水を張ったソースの空缶が置いてあり、ラーメンの食い殻が散らかることもない。

その公園を横切った路地の奥に、圭二のアパートはあった。

フィリピン人のバンドがすしづめで生活していた二間続きの部屋を、彼らの帰国と同時にまた借りした。今もアパートの住人はすべて外国人で、全く不特定多数の男女が出入りしている。不動産屋は、もう勝手にしろという感じで姿も見せないし、契約の更新もなければ、家賃もずっと据え置いたままだった。

勤め先まで徒歩数十秒という立地の良さだから、休憩室のつもりで借りたものが、いつしか住居になってしまった。日は当たらず風も通らないひどい部屋だが、妹夫婦と母が同居している郊外の家よりは住み心地がいい。

　この生活は、もうどうしようもないほど自分の身丈に嵌《は》まっているな、と感じるときがある。

――欅《けやき》の葉の散り始めた公園を横切ってアパートに戻ると、エリが来ていた。

「おじゃまさまァ」と、手鏡の中で化粧を直しながら言う。

「店は？」

「おちゃっぴきよ。あれ、あとさきまちがえちゃった。マサルとラーメン食べようと思って出てきたのに」

「俺でもいいか」

「べつに、いいけど――」と、エリは鏡の中でくすっと笑った。

「何だよ」

「圭二さん、やさしいね。マサルは作ってくれないよ」

「こんなもの、フタ開けて湯を入れるだけなのに、やさしいもくそもあるか」

　この女のことも良くは知らない。余り知りたくない気はする。目元のくっきりとした男好きのする顔立ちだが、店も住いも不定で、赤坂の夜をくらげのように漂っている。くらげとの面識は長いから、仮に知り合ったころ十代の家出娘であったにしろ、今は相当にしたたかな年齢になっているだろう。少なくともマサルよりはいくつも年上だ。取柄といえば、ちょっとびっくりするぐらいの、スタンダードやシャンソンを唄う。

圭二はラーメンを二つ作って、ガラスのテーブルに置いた。

「ところでおまえ、前の旦那とは別れたのか」

「前の旦那って」

「馬場《ばば》だよ。まわりが知らないとでも思ってるのか」

「べつに。籍入れてたわけじゃないんだし、私が食わせてたわけでもないもの。あんなの、ハイサヨナラでおわりよ」

「やくざ者がそれで済むのか？　向こうだって体面があるだろう。目の前でうろうろされてたんじゃたまらない」

「平気よ。馬場ちゃん、あれでけっこうやさしいから」

「まったくノーテンキなやつだな、おまえは」

話題をそらせるように、エリは窓のない奥の間に箸《はし》の先を向けた。

「ねえねえ。一度きこうと思ってたんだけどさ。あれ、なに？」

四畳半の半ばを、二段ベッドが占領している。上段は物置きで、下段はばんたび転がりこんでくる酔いどれホステスの寝床だ。

「あれは強制送還になったフィリピン・バンドが居抜きで置いていった。なかなか重宝してる。何なら使ってもいいぞ」

「そうじゃなくって、上の段に顔出してるものよ。ギターじゃないよね」

チェロのケースが埃《ほこり》をかぶったまま眠っていた。

「セロ弾きのゴーシュと同じだ」

「へえ……圭二さん、そんなのも弾けるの」

「昔、ちょっとな」

「聴かせてよ」

圭二はラーメンをくわえたまま首を振った。

「もう忘れちまったよ」

一度だけ、エリを抱いたことがあった。五、六年も前のことだろうか、夜中に泣きながら転がりこんできて、せがまれるままに抱いた。まちがいというより、付き合いに近い。だからそんなことはお互い、夜が明けたとたんに忘れていた。

しかし心のどこかに被《おお》いきれぬ記憶が残っていて、時おり圭二に老婆心を起こさせる。こんな女の世話を焼いていたら、きりがないとは思うのだが。

「で、おまえらどうするんだ。馬場とのことじゃないよ。おまえとマサルとは、これからどうするんだ」

ごちそうさま、と流しに立って、エリは不満げに呟いた。

「やだ、圭二さんがお説教。どこかのおっさんみたい。あたしのこと、心配してくれるわけ？」

「おまえなんか心配じゃないよ。マサルの方だ」

「ひどい。何だかあたしがマサルの足引っぱってるみたい」

おそらくマサルにもたらされたチャンスを知っているのだろう。それ以上は立ち入るまいと、圭二は口をつぐんだ。

「ねえ圭二さん。あたしね、あしたオーディションなんだ。あとでレッスンしてよ」

「またか。もうやめとけって。金払ってオーディション受けて、残念でしたまたどうぞ。そういう商売なんだよ、やつらは」

「こないだ、受かったよ」

「だから、採用決定しました、つきましては、だろ、そういう商売なんだって」

赤坂に星の数ほどもある芸能プロダクションの大方はそんなものだ。オーディションの受験料が三万円、合格者の登録料が五十万円。しかし仕事など回ってきたためしはない。何年もそんなことをくり返していて、エリはまだ懲りない。早い話がプロ歌手の肩書きを、五十万円で買っているだけだ。

「ともかく、マサルのマンションで女房づらはするな。ヤサがないんなら、そのベッドを使え」

「くそじじい」

タキシードを羽織って白髪の目立ち始めた髪を整え、圭二は部屋を出た。

近ごろ区役所がおしゃれな街灯をつけてくれたおかげで、公園はステージのように明るくなった。陽気なウェイターやバンドマンが、ギターに合わせて影を踏んでいる。

まるで芸能界の先輩にそうするような挨拶《あいさつ》に手を挙げて応えながら、圭二は沈丁花の垣根をまたいで「スターダスト」の通用口をくぐった。

狭い階段をマサルが昇ってきた。

「エリが来てるぞ。何なら一時間つないどこうか」

「え？　――ああ、いいですよそんなの。それより、圭二さんにお客さんが来てますけど」

「俺に、客が？」

「飯村圭二さんいますかって、何だか改まってました」

とっさに、小谷直樹だと思った。関東響の古いメンバーの何人かは、自分がここにいることを知っている。あるいは実家に電話がかかれば、母は小谷を懐しがって、きっと店の所在を教えるだろう。

店はがらんとしていた。カウンターに勤め帰りのアベックが一組いるきりで、赤いランプシェードが空席を照らしている。

小谷は隅の席で手を挙げた。軽く会釈をしたなり、圭二はピアノの前に座った。

ウェイターがブランデーを届けた。グラスを闇に向けてひとくち咽をしめらせ、圭二はノクターンを弾いた。いつもはキャバレロのように弾く曲を、アシュケナージのように弾いた。昔と少しも変わらぬ小谷の几帳面さと誠実さを背中に感じながら、やはりコンサートは最後まで聴いてくるべきだったと、圭二は後悔した。打ち上げにも顔を出してお茶を濁してくれば、まさかこんなところまで自分を追って来はすまい。

Gの音をとばさねばならないのは辛かった。それがスタインウェイのエラーであることを、小谷は聴きとってくれるだろうか。

三十分の後、振り返ったボックスに小谷の姿はなかった。ウェイターが、お客さんの忘れ物だと言って、角封筒を持ってきた。

昼間、圭二が聴くことを拒んだメンデルスゾーンの指揮譜《スコア》が入っていた。忘れ物ではあるまい。念入りな書き込みを入れた大切なスコアの欄外に、ホテルの電話番号が書かれていた。

その夜、圭二は珍しく酔った。

正体のなくなるほど酔っても手元が狂わないのは年の功で、むしろそんなときの圭二のピアノは、お里の堅さが消えて聴きやすい。

日枝神社の並びの丘の上に建つホテルは、造作は古いが格調高い。かつて何ヵ月かラウンジでピアノを弾いたことがあったが、旧知の楽団員に見つかっていやな思いをした。

翌日の午後、圭二は意味深な忘れ物を持って、ホテルのスイート・ルームに小谷直樹を訪ねた。

寝室から女子供のドイツ語の会話が聴こえていた。

小谷は構えている。まるで一晩中、圭二に言うべきことを考えてでもいたふうだ。

「向こうに置いてこようと思ったんだが、そうもいくまい。離れていると、男と女はだめになるから」

「おまえが来れば、鬼に金棒だよ。関東響はうまくなった。びっくりしたろう」

「ああ。いいスポンサーがついたからね。金をかければ音は良くなる」

言ったとたん、失言に気付いたように小谷の端正な顔が翳《かげ》った。

そうだ。金をかければ音は良くなる。小谷家の三人の兄妹はみな大成功をした。弟はピアニスト、妹はヴァイオリン、ともに世界的なプレイヤーになった。

「実はな、飯村。節子《せつこ》のことなんだけど――」

おいでなすった。圭二はなるたけ明るい表情を繕《つくろ》って、話題を受け止めた。

「この間テレビの衛星放送で見たよ。音楽祭でシベリウスを弾いていた。絶品だったね」

「ああ。ヴァイオリンは年が行くとうまくなるね。失恋した分、情感が出るのかな」

真面目な嫌味を、小谷は笑いもせずに言った。節子はいくつになったのだろう、と圭二はテーブルの下で指を折った。小谷や自分たちと入れ替りに芸大に入ったのだから、三十六――もうそんな齢《とし》になるのだろうか。テレビで見た節子は美しく、別れたあのころとどこも変わってはいなかった。

　圭二のドロップ・アウトは節子がヨーロッパに留学していた間の出来事である。成田のロビーで物語のような抱擁をして以来、会ってはいない。

「節子のやつ、電話も手紙も梨のつぶてだったって。ああいう性格だから、からっとしたものだけどな」

　節子はわかりやすい女だった。さほど執拗な連絡を寄こしたわけではない。背を向けた恋人を追うことは、彼女のプライドが許さなかったのだろう。

「べつに冷たい女じゃないよ」

　と、小谷は妹をかばった。そんなことはわかっている。冷淡な女が、あれほど情熱的にシベリウスを弾くはずはなかった。

　きのうコンサート・ホールで出会ったとき、圭二が結婚しているのかどうかをまず確認した小谷の言葉が胸に甦《よみがえ》った。

「節ちゃんとは、どだい釣り合わないよ。俺はどう頑張ったって、ソリストになるほどの才能はない」

　正しくは、金がないというべきなのだろう。成田で別れの抱擁をしたとき、背中に回された節子のストラディバリウスの重みは応えた。一億円の楽器の重みだった。

「節ちゃんは、独《ひと》りなのか」

　小谷は少し言いためらった。

「結婚はしたが、一年で別れた。相手はザルツブルグのチェリストで――」

「チェリスト？」

「ああ。バッハの無伴奏組曲を聴いたことがある。うまかったが、おまえよりはへたくそだったよ」

　将来を言いかわしていた圭二と節子は、ひと夏を軽井沢の小谷の別荘で過ごしたことがある。そのころ、二人はよくバッハを弾いたものだ。

「いいものを知っていれば、それ以下のもので満足するわけはない。わかるだろう」

「チェロのことだね」

　小谷は答えなかった。

　運ばれてきたルーム・サービスのコーヒーに口さえつけず、圭二は席を立った。戸口まで送りに出た小谷の顔は、言うべきことの何ひとつ言えぬ苦渋に歪《ゆが》んでいた。

「なあ、飯村。関東響にこないか。もういちど、やり直さないか」

「俺が？　――冗談はよせよ。おまえ、音楽監督だろう。仕事には責任を持て」

「来月、節子が帰ってくる。関東響とコンサートをやるんだ。なあ、あいつのバックをいちど弾いてやってくれないか」

「十年の空白を甘く見るなよ。仕事には責任を持て」

「大丈夫さ。カムバックしたプレイヤーは何人も知っている」

「酒場の弾き語りからカムバックしたプレイヤーもか？」

小谷は悲しい目をした。ドアを閉めかけて、圭二は捨てぜりふを吐いた。

「それに、バツイチはごめんだ。べつに不自由はしちゃいない」

何でそんなことを言うのだろうと、圭二は廊下を歩きながら考えた。自分は捻《ね》じくれている。オーケストラの指揮者と諍《いさか》い、夜の町の弾き語りに身を陥《お》とし、恋人を捨てた。正当な理由は何ひとつなかった。

歩道橋を渡ると、住みなれた町が圭二を迎えた。赤坂は秋のいろに染まり始めている。

「スターダスト」が突然の危機に見舞われたのは数日後のことだった。

月末の給料を手にしたとたん、コックとウェイターが全員、何の前ぶれもなく店を辞めたのだ。

マサルの門出を祝って、閉店後のフロアで祝杯を上げた。そのときはコックもウェイターも和やかに酔ったのに、翌日はキッチンもフロアも、もぬけのからになった。

「まったく、今の若い子ったら何を考えてるんだろう。義理も人情もありゃしないわ」

マダムはドレスの裾をからげて掃除器を使いながら、さかんに愚痴をこぼす。

「悪いねえ、圭二さん。ちゃんとこの分、ギャラにつけるからね」

こういうとき、勤続十年のピアニストは頼りがいがあった。見よう見まねで、コックの代りが務まる。

とりあえずはピアニストがコックを兼ね、マダムとバーテンとでフロアを切り回すしか方法はなかった。

「何だか老人クラブみたいだね、ママ」

と、バーテンが笑う。

「まったくだわ。四十と五十と六十。いっそお客も年齢制限しちゃおうか——圭二さん、足らないものは何でもコンビニで買ってきて。ともかく格好にしなきゃ」

冷蔵庫を開けると、若いコックは多少の責任を感じていたものか、材料がぎっしりと詰まっていた。

圭二は小さな窓から、フロアに顔を出した。

「ピザソース。どうしようかね、ママ。作り方がわからない」

「ええと、ケチャップにトマト・ピューレー。あとは何だっけ……できあいのを買ってきなよ。食材屋、知ってんだろ」

苛立《いらだ》ってはいるが、マダムの顔にさほどの切実さはない。本当ならひとたまりもない事態だけれど、古い常連客ばかりのこの店なら何とかなる。

マダムは郊外に病院を経営する医者の囲い者だという噂だが、十年間そのパトロンは店に現れたためしがなかった。

一度だけ、東急ホテルのティールームでそれらしい人物を見かけた。いかにも病院長という感じの上品な老人で、向き合って朝食をとるマダムの手元には、ホテルのルーム・キーが置いてあった。マダムは圭二に気付いたとたん目を逸《そ》らし、ルーム・キーをナフキンの下に隠した。それで圭二も、向かいの席の老人がパトロンであると知ったのだった。

いずれにしろそういう男と女の関係は想像を越えている。

「ピザソースとキャビア。買ってくるよ」

「お金、たてかえといて。悪いね、圭二さん」

看板を地上に担ぎ上げ、多少の買物をするために圭二は店を出た。途中、エプロンをつけたままであることに気付き、あわててはずした。

一ツ木通りは月末の酔客で華やいでいた。

馬場に出くわしたのは、テレビ局を通り過ぎた路上である。通りの向こう岸から「先生、先生」と呼びかけながら、馬場はガードレールを跨《また》いでやってきた。少し酔っている。

「よお、先生。ちょっと話があるんだがね」

赤坂のやくざは何となくカタギと共存している感じで、いわゆるコワモテはいない。ことに圭二のような町の古顔に対して因縁をつけたり、悶着《もんちゃく》を起こしたりするようなことはない。

昔から多くの組織が競合し、人口に対する占有率からすればおそらく東京一の赤坂では、それが彼らの伝統であり、永遠の礼儀である。

お茶でも飲もうと親しげに言うのを、圭二は事情を説明して拒んだ。

「へえ。若い者ンがいっぺんにフケちまったってか。まったくしょうのねえやつらだなあ。まあ、きょうび良くある話だがよ——ところで、先生。こんなことスッパリと訊くのはどんなもんかと思うんだが」

と、馬場は街路樹の幹に顔を寄せて、何だか悪事でも持ちかけるように囁いた。

「スターダストでギター弾いてる、マサルってガキのことなんだが」

恫喝《どうかつ》しているふうはまったくない。むしろ懇願するような口調で、馬場は訊《たず》ねた。

「エリとあいつは、どうなってんの？」

煙草を勧めると、馬場はちょこんと頭を下げて受け取った。

「良くは知らない。だが、エリはあんたのこと避けてるようだけど」

「わかってるって。そんなこたァ百も承知なんだって。でもね、先生。あいつは二年も俺と一緒にいたから、逃げられましたじゃ若い者ンの手前、しめしがつかねえんだよ」

通りすがる兄貴分に、オッスと頭を下げてから、馬場は路地に圭二を誘った。

「なあ先生。身内にゃ言えねえから、あんたに泣き入れていいか」

「ああ、いいよ。誰にも言わない」

やくざはみな年齢不詳だが、こうして虚飾を捨てた顔を見れば、馬場は若い。三十四、五か。

「女をカタギに寝取られたってのァよ、最悪の面汚しなんだ。しかも町なかを二人してウロウロされてたんじゃ言いわけも思いつかねえ。俺なんかよ、ただでさえ懲役ボケなんて言われて、若い者ンからコケにされてんのによ、本当なら事務所のひとつも構えてなきゃならねえ齢なのによ——だからなおさらそういうことをキッチリやっとかにゃ、いよいよ安く見られちまうんだ」

「だから、どうするっていうんだ」

「そう、だからよ。何とかエリのやつを連れ戻して、詫び入れたから勘弁してやったと言やァ、馬場もなかなか肚《はら》が太え、ってことにもなるさ」

未練があるようだ。話すほどに馬場の肥えた体は、萎えしぼんで行くようだった。

「それは、無理だな。エリはそっちのことを避けてるんだ。もう戻らないよ」

「そうかねえ」と、馬場はやり場のない怒りを吐き棄てるように、唾を吐いた。

「実はよ、先生。ゆんべ政《まさ》兄ィに呼ばれてどやされた。カタギに迷惑かけちゃならねえが、スジは通せって。俺が安く踏まれるのは、みんなが安く踏まれることなんだから、そういう始末はちゃんとつけろって。わかるよな、政兄ィの言うことはいつだってまちがいねえんだ」

「だから、どうしろって広野《ひろの》さんは言うの」

「マサルってのはギター弾きなんだから、腕の一本もへシ折るか、指とってこいって」

「まずいよ、それは。命を取るのと同じだ」

「だからそうしろってよ。ほら、やつらのやることにゃ、プロダクションのシノギなんかがからまるからな、余計ほっぽっとくわけにゃいかねえんだ。政兄ィがきつく言うのも当たりめえなんだ」

わかるような気がする。スジがどうしたということではなく、星の数ほどもある芸能プロダクションやプロモーターから、安く見られてはならないのだろう。

馬場の目は一途だった。

「俺だってそんなことしたくねえからよ、だからエリに戻ってきて欲しいんだ。惚れたとかはれたとか、そんなんじゃねえんだよ。なあ先生、何とかエリのやつを説得してくれろ。脅しかけてんじゃねえよ、本当だよ先生。この通りだ」

馬場はエリに惚れている。少し酔ってはいるが、ならばなおさら本音だろうと圭二は思った。

「わかるか先生。六年と六月《ろくげつ》だぜ。きょうびそんな懲役は帰って来ちゃいけねえんだ。それでも政兄ィは昔のよしみで、何とか面倒みてくれてんだから」

「いっそカタギになってエリと所帯を持ったらどうだ。そこまで肚をくくれば、あいつだって少しは考えるんじゃないか」

「俺が？　――冗談よせよ。この通り指もねえし、彫物もへえってら。今さらつぶしがきくもんなら苦労はねえよ」

つぶしがきかないという一言は、圭二の胸に重くのしかかった。

その夜、圭二は厨房とステージとを忙しく行き来しながら、切実な馬場の目をいくども思い出した。

最後の客を押し出すように帰し、看板を下げてしまうと、バーテンはソファにひっくり返ったなり高鼾《たかいびき》をかき始めた。

厨房は嵐のあとのような散らかりようである。皿を洗い、デッキブラシで床を磨く。もともとがまめな性分で、こういう仕事は少しも苦にならなかった。

鼻唄まじりに包丁まで研ぎだすと、マダムは疲れ切った顔をひしゃげて笑った。

「あんたは、根っから水商売むきだね」

「まあね。酒飲みだし、神経質だし、第一昼間の仕事はだめだよ、偏屈だから」

「偏屈。まあ、そう言やそうだけど——ねえ、圭二さん。いっそこの店やらないか」

「え？　俺が」

「マネージャーってことでさ。利益折半でどう？」

「利益が出れば、の話だな」

「生活は保証するよ。あたしももう齢だしさ、今度は応えたわ。人を使うのはうんざりだし、体もガタガタ」

「そんな話ならスーさんが先だろ」

と、圭二は覗き窓からフロアを見た。バーテンはテーブルに足を投げ出して眠りこけていた。

「スーさんに金持たしたら、みんな馬と自転車に食われちまう。その点あんたなら堅いし。ねえ、考えといてよ。悪い話じゃないと思うけど」

悪い話ではない。この店がやりようによっては儲かることを、圭二は良く知っている。余分なウェイターを四人も五人も雇っていたのはマダムの趣味で、利益はみな人件費に食われていた。

「考えてみるかなあ。俺も四十だもんな」

このところ考えさせられることが多すぎると圭二は思った。四十という年齢の節目がそういうものなのかもしれない。

マダムは化粧のはげた瞼をしばたたいて、色気のない大あくびをした。

「旦那の女房、くたばったんだってさ。籍入れるかってんだけど、何よ今さら。七十五の年よりのおしめ取り替えさそうってこんたんか。やだやだ」

「何年いっしょにいるの」

「三十年。いっしょじゃないけどね。ともかく三十年。考えてもみなよ圭二さん。あんたがまだ小学生のころだよ」

厨房のドアにもたれて、マダムは眩《まぶ》ゆげにシャンデリアを見上げた。

「マサルちゃんも、まあうまいときに抜けたもんだ。あの子、目ェ持つよ、きっと」

たしかにその通りだと思う。受け目と負い目は、けっこう目に見えるものだ。

その明け方はひどく冷えた。

公園を通り抜けてアパートに戻ると、エリは二段ベッドの下に体を丸めて眠っていた。

首筋を毛布で被うと、思いがけぬ女の匂いが鼻をついた。

「おかえりなさい。——ねえ、マサル知らない？」

マサルが町を出たことも、店をやめたこともエリは知らない。さて、取り残されたこの女をどうしたものかと圭二は考えた。

「みんなやめちまったんだ。マサルも一緒かもしれない」

と、圭二は適当な嘘をついた。エリは少し考えるふうをした。

「……へえ。大変じゃん。あしたから手伝ってやろうかな。深夜だけ」

「ああ。頼むよ」

「あたし、ふられちゃったのね」

エリはすっぴんの幼な顔を毛布から出して、おかしそうに笑った。

「圭二さんて、けっこう頼れるんだよね。さっき隣りのフィリピーナもそう言ってたよ。独身なのかって、真面目な顔できいてた」

エリの飲み残した缶ビールを呷《あお》って、圭二は生ぬるさに顔をしかめた。

「で、どうするんだよ、おまえ」

「ここにいさせてよ。家賃半分もつからさ」

肩に巻かれたエリの腕を、圭二はふりほどいた。

「居候はかまわないが、荷物なんかどうなってるんだ」

「馬場んとこ。持ってきたいんだけど」

「じゃあ、俺が取ってきてやる」

考えもせずに、圭二は言った。


朝は、風の乾いた秋だった。

弁慶堀や離宮の緑が一夜で色づいたように思えて、圭二は歩きながら何度も足を止めた。

楽器を抱えて歩くのも十年ぶりだ。チェロは形も音色も感触も、秋の町に良く似合う。

考えねばならぬことが多過ぎた。マサルのことエリのこと、馬場のこと、マダムとバーテンのこと。そして、小谷と節子のこと。

いっぺんに問題を持ちかけられたような気がするが、実は別々の話ではあるまい。要するに「おまえ、どうするんだ」と、みんなが自分を問い詰めているのだ。四十という節目は、そういうものなのだろう。

いま自分を取り巻いている雑音は、たとえばオーケストラのパート・スコアのようなもので、意を決して指揮台に上り、タクトを一振りすれば、ちゃんとしたシンフォニーが始まるような気がした。

夜明けに抱いたエリの感触が、体に残っていた。以前に一度そうなったときには、はっきりと体だけの付き合いだと感じたが、けさのエリは妙に自分と似合った。エリが変わったのだろうか。いや、そうではあるまい。

――ホテルのラウンジに呼び出された小谷は、かたわらの楽器ケースを見るなり、さも嬉しそうに手を叩いた。

「オーディション、してくれるかな、監督」

「お安いご用だ。部屋へ行くか？」

「いや。おまえにピアノを付けてもらいたい。店に行こう。ポンコツだがスタインウェイも置いてあるし」

小谷はいちど部屋に戻り、楽譜の詰まった鞄を提げて下りてきた。二人はホテルを出た。

秋いろの坂道を下りながら、小谷はこれですべてが解決したかのように上機嫌だった。

「きのう、ザルツブルグに電話をした」

「世界の小谷節子に、か」

小谷は指揮台の上で良くそうするように、長髪を両手でかき上げた。

「あいつ、帰国コンサートにドヴォルザークをリクエストしたよ」

「ドヴォルザーク？」

「チェロ協奏曲。おまえのために、って」

節子の時計は止まっているのだろうか。いや、やはりあのころと同じように、二人の時計は違う時を刻み続けているのだろう。

第三楽章の劇的な主題が耳に甦った。チェロの跳躍をオーケストラが追う。そして半ばには、チェロとヴァイオリンの美しいかけあいがあった。小谷がタクトを振り、ソロを弾く自分のかたわらで、そのとき節子はきっと、優雅に首をかしげ、白い肘《ひじ》を張って弓をたぐることだろう。

歩道橋を渡って、小谷が赤坂の町に足を踏みこんだとき、圭二は暗い嫉妬を感じた。


「さて、課題曲は何にするか」

スタインウェイの前に座ると、小谷は細い指を振って微笑んだ。

「グノーの瞑想曲《メディテイション》でどうだ。覚えているのはそのくらいしかない」

「メディテイション？　――ああ、アヴェ・マリアね」

弓を構えながら、圭二は言った。

「はじめに断わっておくが、おまえ、十年ぶりに弓を持つチェリストに会ったことあるか」

「ないね。現実にはありえない」

「そのありえないチェリストがここにいるんだ」

「体で覚えたことは忘れやしないさ」

「そうかな。だが、俺の体は他のこともたくさん覚えたよ」

小谷は答えるかわりに、伴奏を弾き始めた。端正な横顔は愕くほど節子に似ていた。

思いのたけをこめて旋律を奏でると、衛星中継で見た節子の白い顔が、スポットライトの向こうの閉ざされた闇の中に浮かび上がった。


――せっちゃん。

夢に見ぬ日は、一日もなかった。君はどうか知らないが、僕は十年の間ずっと、君を愛し続けてきたよ。

ザルツブルグという町は知らない。観光案内のグラビアで見たら、中世そのままの美しい町で、君にはとても良く似合うと思った。

何度会いに行こうとしたか知れない。だがそこは遠すぎるし、第一、僕には似合わない。美しく才能豊かな君は、兄さんの自慢で、高校生のころからずっと、僕らみんなのマドンナだった。だから僕と君が付き合い始めたとき、みんなは焼きもち半分にひどいことを言った。僕がソリストになりたくて、君や君の兄さんと仲良くしているとか、スタインウェイが弾きたくて君の家に出入りしているのだとか。僕は内気で変わり者だから、まわりに敵も多い。少しばかり成績が良かったから、彼らの嫉《ねた》みを買ったのかもしれない。

でも、彼らが言ったひどい噂は、あながちはずれてはいなかった。その他いろいろの楽団員のまま一生を終えたくはないと、僕が思っていたのは確かだ。

君は改まって金勘定などしたことはないだろうが、音楽家になるには医者になるよりもっと金がかかる。いや、そんなものとはたぶん、けたがちがう。何千万も何億もする楽器を買って、大学を出たらヨーロッパに何年も留学して偉い先生に師事する。それで初めて、ソロ・プレイヤーになる資格が生れる。努力や才能は、それから先の話だ。

僕の家は芸術などとは全く無縁の成金だったから、そんなことは知らなかった。子供を音楽家にするのはステータスだと思って、僕にピアノとチェロを与えた。親父が早死して、ステータスもくそもなくなってしまったのだけれど、そのときすでに、僕には他に考えられる人生がなくなっていた。

スタインウェイを弾くために君の家に出入りしたのは本当だ。君のお父さんやお母さんは、ただ勉強熱心な学生だと勘ちがいして、僕に好意をもってくれたらしいが。

本当のことを言うと、君と恋をして結婚すれば、僕の未来は拓けると思っていた。つまり君に恋するより先に、僕は君の家に恋をしていた。

ただし、君を愛したことに偽りはない。

君は覚えているだろうか。外苑の銀杏並木のベンチに腰をかけ、日の昏《く》れるまで何時間も黙りこくって、あなたが好きですと言ったのは君の方だった。

正直のところ、僕はあのとき感激するより先に、しめたと思った。そして君が僕の襟巻に鼻をうずめたとき、急に怖ろしくなった。

僕も君を愛していたから、しめたと思った自分が怖くなったのだ。

世の中は公平だけれど、僕らの世界に限っては神様の決めたカーストがあるのだと、そのとき僕は思った。それを踏み越えるためには、良心の咎《とが》めを必要とするのだから。

僕はずっと背伸びを続け、爪先立っていた身長の分だけ、みんなに嫌われた。それを気に止めなかったのは、君と、君の家族だけだった。君の家や別荘に行くたび、僕は有難さとみじめさを、同時に味わっていた。

だから成田のゲートで、家族の目も憚《はばか》らずに君が僕に抱きついて泣いたとき、僕は心に決めた。ずるい考えは、もう捨てよう、と。

中央フィルをやめた理由を教えようか。

定期演奏会で、僕はドヴォルザークを弾くことになっていた。ビッグチャンスだった。

第三楽章の稽古をしていたとき、指揮者が突然タクトを投げつけて怒鳴ったのだ。

ドント・ユーズ・ア・ヴァルガー・サウンド！　——下品《ヴァルガー》な音を出すなと、僕は叱られたのだ。あの一言は忘れない。

うまいへたは聴けばわかる。だが、音がエレガントかヴァルガーか、そんなことといったい誰がわかる？

周囲の苦笑が僕には応えた。彼らの中で、ドヴォルザークを弾きこなすことができたのは、僕だけだった。それはみんなが認めていた。だのにみんなは、弓を叩いて笑うのだ。圭二は下品だ、と。

せっちゃん。愚痴になるけど、聞いて下さい。

僕はあのころ、誰よりも努力をしていたんだ。まるであのセロ弾きのゴーシュみたいに、夜の夜中まで、子供のころからずっと使っているオンボロのチェロを抱えて、指の皮が何枚もはがれ落ちるほど。

譜面台には、いつも君の写真を置いていた。君を、心の底から愛していたから。

中央フィルの定演でソロを弾けば、針の先を通すほどの万に一つのチャンスを、摑《つか》まえることができると思った。有難さもみじめさも感じずに君を愛する方法は、ほかになかったんだ。あったというなら、教えて欲しい。

毎晩毎晩、指のすりきれるまで練習をして、僕を笑ったやつらの十倍も二十倍もドヴォルザークを弾きこんで――それでも、僕の音は下品だった。

僕は足元に落ちたタクトを拾い上げ、詫びるかわりに、指揮者の顔に向けて投げ返した。

そうだ。テレビで、君のシベリウスを聴いたよ。すばらしかった。君は押しも押されもせぬ、世界の小谷節子だ。

どうしたらあんなふうに感情を入れることができるのだろう。君は涙を流しながらシベリウスを弾いていた。あのヴァイオリンに心を動かされない人は、一人もいないだろう。

ザルツブルグはもう冬だろうか。

ヴァイオリンを抱え、石畳の道を歩いて行く君の姿が瞼にうかぶ。背筋をすっと伸ばし、少しの惑いもない、昔のままの歩様で。

そして君はときどき意味もなく立ち止まって、遠くを見る。そんな美しい癖も、きっと昔のままだろう。

せっちゃん。

勝手ばかり言ってすまないけど、君を愛することは、もうやめる。

赤坂も、それほど悪い町ではないから――。


リフレインの途中で、小谷は指を止めた。

「Gが、フラットしてるね。伴奏ができない」

圭二は弓をおろして息を抜いた。鍵盤の前で、小谷の背がうなだれていた。

「わかったか、小谷。十年ぶりのチェロなんて、こんなもんだ。ドヴォルザークどころか、メディテイションだってろくに弾けやしない」

小谷はフラットしたGの音を、淋しげに人差指で叩いた。

「そうじゃない。どうしてそんなに暗い音を出すんだ」

「下品な音だろう」

圭二は立ち上がって、小谷の背を弓の先で突いた。

「さあ、帰れよ。オーディションは終わりだ。残念でした、またどうぞ」

「何のために、こんなことをした」

「決まってるじゃないか。おまえの押し売りを断わるには、気の利いた方法だ」

「押し売り——ひどい言い方だな」

「今さらバツイチを押しつけようとしたり、聴きたくもないクラシックを聴かせようとしたり、押し売りだよ、おまえは」

投げ渡されたコートを羽織ると、小谷は押し殺した怒りで唇を慄《ふる》わせた。

「すまなかった。だが、節子の気持はいいかげんじゃない。誤解しないでくれ」

「うまいチェリストなら他にいくらでもいる。目の前でシベリウスを弾いてやれば、誰だってイチコロだ」

根の生えたように動かぬ小谷の腕を握って、圭二はフロアから連れ出した。

「あのな、小谷。俺、女がいるんだ。ちかぢか所帯を持とうと思ってる。ちょっと頭が足らんけど、若いし、バツイチでもない。それに仕事も忙しいしな。この店を任せられることになった」

背を押されて、小谷は階段を昇って行った。

くっていた。


「じゃあな、飯村」

「じゃあ、お元気で。さいなら」

一瞬の秋空を翻《ひるがえ》して、扉は閉ざされた。

振り返れば、棕櫚の葉の茂るスポットライトの下で、スタインウェイは老婆のように黙りこくっていた。

カウンターをくぐり、新しいブランデーの封を切る。咽を鳴らしてむせかえると、圭二はしばらくの間、拳を握って泣いた。

「さあて、と。どいつもこいつも、格好つけてやらなきゃな」

久しぶりに弦に触れた指先が痛んだ。

厨房に入り、灯りをつける。整頓された調理台の上に、研ぎ上げた牛刀が輝いていた。

考えねばならぬことは多すぎるが、それほど難しくはない。チャンスを摑んだギタリストのこと。つぶしのきかない一途なやくざのこと。すっかり年老いたマダム。競馬狂いのバーテン。クラゲのように居場所の定まらぬ女。そして、しつこい押し売りたち。

みんな勝手なスコアを弾いているが、肚をくって指揮台に上り、タクトを振ればともかく音楽になる。それですべてが丸く収まる。

「ジャ、ジャ、ジャ、ジャーン」

牛刀を握って俎板《まないた》に掌を置いたとき、さて右にしようか左にしようかと、圭二は少し迷った。

かくれんぼ

英夫《ひでお》はかたときもその記憶から免《まぬか》れたことがない。

たとえば、ぼんやりと物思いに耽《ふけ》るほか時間を潰す手だてのない満員電車の車内で、あるいは得意先を送ったあとの、不愉快なタクシーのリア・シートで、また眠りに落ちる前のつかのまの闇の中で、英夫は必ずと言ってよいほど、その記憶に苛《さいな》まれる。

若い時分には、いやな思い出はみな歳月とともに失われるのだろうと高をくくっていた。たしかに多くの場合についてはその通りなのだが、どういうわけか彼が小学校四年のときに起こったその出来事の記憶だけは、いっこうに消え去らない。

三十を過ぎたころから、歳月を指折り算《かぞ》えるようになった。四十五歳になった今、それは三十五年も前の事件、ということになる。

近所の遊び仲間に、ジョージという名の混血の少年がいた。

姓は吉田《よしだ》と名乗っていたが、中野駅にほど近い邸宅街にあった瀟洒《しょうしゃ》な西洋館の門にその苗字は見当たらず、片仮名で「フランクリン」と書いた表札がかかっていた。

ジョージの父は立川の基地に勤務する軍人だったが、母は生粋《きっすい》の日本人で、近所の親たちはよからぬ想像から、彼とは遊んではいけないと子供らに言い聞かせていた。

英夫も親や祖父母からそう言われていた。理由はわからなかったが、さまざまの偏見に満ちた時代のことで、他にも遊んではいけない子は何人かいたし、遊びに行ってはならない場所もあった。

ジョージは毎朝家の前まで迎えに来るアメリカン・スクールのバスに乗って登校し、母親の運転するオースチンで帰って来た。

門扉のついた暗い西洋館。週末にしか帰宅しない雲をつくような大男の父親。バタ臭い、派手な身なりの母。自家用車。ランドセルではなく、提げ鞄《かばん》を持った金髪の少年。すべてが異物だった。

そんなジョージが英夫たちの仲間に入ったのは、ガキ大将の武志《たけし》が認知したからだった。

その日のことも、英夫はよく覚えている。「かえで山」と呼び習わされていた高台の原っぱは、徳川将軍のお狩場の跡ということで、古い松と楓《かえで》の森が野球をするのにはころあいの広場を囲んでいた。

ちょうどバックネットのかわりに、石垣の跡があった。老朽して危険な石垣を壊し、ごろごろと平たく捨て置いたものだが、土台石は子供の身の丈ほどもあったから、十分バックネットのかわりになった。

夏休みであったと思う。ジョージは日ざかりの石組に腰を下ろして、英夫たちの野球を物欲しげに見つめていた。真新しいグローブを持っていた。

いわれなき差別というよりも、むしろ排他的な子供心から、誰もジョージを誘おうとはしなかった。英夫も気にかからぬわけではなかったが、頭数が増えれば自分の打席が減ると思った。

途中、判定をめぐって諍《いさか》いが起こった。サードベースに滑りこんだランナーがアウトかセーフかで、揉めたのである。ゲームは重要な局面を迎えていたから、どちらも譲らなかった。ベースの周囲で埒《らち》のあかぬ言い争いをしていると、ふいにジョージが石の上に立ち上がって言ったのだ。

「今のは、アウトだよ。ぼく、ちゃんと見てたからね」

友人の中に、それまでジョージと会話を交わしたことのある者はいなかった。混血とはいえ、透き通るような青い瞳とブロンドの髪とを持った少年が、自分らと少しも変わらぬ言葉を使うことに、誰もが愕《おどろ》いた。

アウトを主張していた武志が言った。

「ほうらみろ。どっちの味方でもないやつが言うんだから、アウトだ」

たしかに誰の友人でもないジョージの判定は公平に思えた。異議を唱える者はいなかった。

子供らが守備位置に戻ろうとすると、ジョージは引き止めるように言った。

「アンパイヤ、やらせてよ。ストライクとボールも、ちゃんとわかった方がいいだろ」

下手投げのソフトボールだったが、キャッチャーが独断で判定をするそれも、しばしば揉め事の種だった。

「そうだ、それがいいよ」

と、ジョージの存在が気になって仕方のなかった英夫は言った。子供らは口々に賛同したが、リーダー格の武志は承知しなかった。

「おまえとは遊んじゃいけないって言われてる」

ボールをキャッチャー・ミットに叩きつけながら、武志はきっぱりと拒否した。

「どうしてさ」

抗《あらが》うジョージの口元は歪《ゆが》んでいた。

「そりゃあ、おまえがあいのこだからさ。おまえ、ジョージってんだろ」

ジョージは石の上から飛び下りると、乾いた土の上に「丈治」と書いた。

「これで、ジョージって読むんだ」

「苗字は」

と、武志は尋問口調で言った。ジョージは名前の上に、「吉田」と書いた。

「嘘つけ。おまえの苗字はフランクリンじゃねえか」

「それもそうだけど――おかあさんの苗字は吉田なんだよ。だから僕も吉田丈治っていうんだ」

口応えをされて、気の短い武志は気色ばんだ。英夫は二人の間に割って入った。

「そんなこと、どうだっていいじゃないか。アンパイヤがいた方がいいよ」

武志は、勉強ができて学級委員の英夫にだけは一目置いていた。

「そうかな。ま、アンパイヤならいいか。一緒に遊んだことにもならねえもんな」

ガキ大将が認知したことで、とにもかくにもジョージは仲間に入った。

翌日もその翌日も、ジョージは使うことのできぬグローブとバットを持って、かえで山にやって来た。

「あなた、英ちゃん――」

妻に揺り起こされて、英夫は寝入りばなの悪夢から目覚めた。

年齢とともに眠りが浅くなったせいだろうか、近ごろこうしたことが良くある。まどろみながらの追憶が、そのまま夢の中に持ちこまれるのだ。

「いいかげんになさいよ。気味が悪いわ」

「寝言、か？」

妻は怯《おび》えている。ただうなされただけならば、そこまで怖れるはずはない。

「何て言ってた？」

「もういいわよ。おやすみなさい」

スタンドを消して、妻はベッドに潜りこんだ。しばらくたってから、闇の中で妻は呟いた。

「ジョージ、って呼んでたわ。ああ、気持悪い」

やはりそうだった。妻の由美子《ゆみこ》は幼なじみである。つまり、ジョージのことも、事件のことも、妻はみな知っている。

「今さら、いったいどうしたっていうの？　黙ってたけど、おとついも、その前も、あなた同じようにうなされてたのよ」

英夫はひやりとした。二人の間で、ジョージの話は禁忌だった。うわごととはいえ、英夫は禁忌を冒し、妻はとうとう我慢ならずにそれを諫《いさ》めたことになる。

「ただの幼時体験《トラウマ》ってやつだよ。気にするな。おやすみ」

目が冴えてしまった。背を向けたまま、妻が言う。

「する？　――久しぶりだけど」

「……いや、ちょっと疲れてる。悪いけど、やめとこう」

「べつに悪くなんかないわ。おたがいストレス解消にどうかなって思っただけ」

妻は無邪気に笑いながら、やがて寝息を立て始めた。

幼なじみとはいえ、男女の付き合いを始めたのは遅い。何ヵ月か近所の目を気にしながらの交際をした末、ともに三十になったのをしおに結婚した。

英夫は外語大学を出て、英会話に堪能だった。それがかえって仇《あだ》になり、七年間も商社のニューヨーク支店に置き忘れられていた。帰国するたびに上司や親が用意してくれる見合いの話はどれもまとまらず、ようやく本社勤務になったとたん、行き遅れていた由美子に再会したのだった。

そんなわけだから、おたがい恋に陥ちたという憶えはない。正しくは、由美子から長い腐れ縁の男の愚痴を聞かされているうちに、どちらからともなくそういう関係になった。

改まって求婚をしたとき、英夫は由美子の過去を割り切った。それを新妻に対して宣言するかわりに、武志を結婚式に呼んだ。

親の遺《のこ》した家に由美子を迎え入れねばならなかった英夫と、八百屋を小さなスーパーマーケットに発展させた武志は、ともに生れ育った土地を離れるわけには行かなかった。

同じ町内に暮らしながら過去を忘れ去ることが、三人にとって唯一最善の方法にちがいなかった。

――目を閉じると、きれいさっぱり塗りつぶされた愛憎の記憶を通り過ぎて、少年時代の悪夢が、またやって来た。

ジョージがアンパイヤという条件つきで仲間に加わってからしばらく経つと、かえで山に集まってくる子供たちの数が日ましに減り始めた。塾や稽古事のなかったそのころには、夏休みを父母の故郷で過ごすことが多くの子供たちの行事だった。

二十人もいた仲間が半分になってしまえば、打順の早回りも喜ばしいことではない。ゴロでも内野を抜ければホームランになってしまう。

自然と、ジョージもアンパイヤを廃業してチームに加わった。それでもまだ頭数が足らないので、武志はお転婆娘の由美子までかえで山に連れて来た。

もちろん由美子は野球などしたことはなかったが、それでもゴロを体にぶつけて止めたり、武志の投げる思いやりのスローボールを何とか打ち返すことができたから、ジョージよりはずっとましだった。

そうしてさらに何日間か、野球はかろうじて続けられた。

いちど、こんなことがあった。

ジョージが父親と後楽園球場のナイターに行ったときに手に入れたという、長嶋茂雄のサインボールを持って来た。それはすべての子供らにとって、めまいのするような宝物だった。

とりわけ長嶋の熱狂的なファンだった武志が、そのボールで野球をしようと言い出した。ジョージはしぶしぶ承知した。

初めて使う硬球は打球が速すぎてとても少年たちの手に負えなかった。しまいには英夫の打ち上げたファウル・フライが、広く無造作に積まれた石組のどこかに消えてしまった。

ボールの値打はみんなが知っているから、野球などそっちのけであたりが薄暗くなるまで探したが、とうとう見つからなかった。しゃくり上げて泣くジョージを、英夫は家まで送って行った。

しかし翌《あく》る日、誘いに寄った武志の部屋の勉強机の下に、ボールが転がっているのを英夫は発見した。店員さんが誕生日のプレゼントにくれたものだと武志は言い張ったが、そんなことは嘘に決まっていた。武志の青ざめた笑顔は忘れられない。

その日も、野球が終わってから、ジョージはひとりで石組の上を歩き回って、ボールを探していた。よほど武志を問い詰めてやろうと英夫は思ったが、机の下に隠してあったボールが、それだという証拠はなかった。

いや、証拠もなにも、武志の不実はわかりきっていた。もし彼があらかじめ長嶋茂雄のサインボールを持っていたなら、友人たちに公開しないはずはなかった。英夫を臆病にさせたものは、粗暴で、自分より頭ひとつも体の大きい、声も物腰も中学生に見える武志への畏怖だった。証拠がないと、英夫は自分自身の良心に言いきかせていただけだ。

ボールの所在について、ジョージに忠告した記憶はない。しかし、他に目撃した者がいたのか、それともジョージに何らかの確信があったのか、数日後、二人の間に激しい諍いが起こった。

朝に顔を合わせたとたん、ジョージが血相を変えて武志を詰問したのだ。

「僕のサインボールを盗《と》ったの、武志くんだろう」

用意していた台詞《せりふ》をやっと口にするように、ジョージは言った。細い背中が強者に抗《あらが》う恐怖で慄《ふる》えていた。

武志は明らかに狼狽《ろうばい》した。

「ふざけんなよ。証拠あるのか」

「ふざけてなんかいないよ。返してよ。大事な物なんだから、返してよ」

進退きわまった武志は、突然ジョージに躍りかかった。乾いた土埃りの中で、正義がたわいもなくひねりつぶされるさまを、英夫は黙って見ていた。

ジョージの白い頬を馬乗りになって殴りつけながら、武志はひどいことを言った。

「このやろう、パンパンの子供のくせしやがって、あいのこのくせしやがって」

ジョージを屈服させたのは武志の拳ではなかった。罵《ののし》られたとたんに、彼の体から抵抗する力が脱けた。

「あやまれよ。人を泥棒あつかいしやがって、手ェついてあやまれ」

引きずり起こされると、ジョージは武志の足元に土下座をして、ごめんなさいと言った。武志がそんなふうに仲間を屈服させるさまは何度も見てきたが、混血にすら見えぬ金髪の少年が、白い額を地べたにこすりつけ、ブルージーンズの膝《ひざ》を揃えて許しを乞う様子は、あまりにも悲惨だった。

だが、その理不尽な光景の中に、英夫がある快感を覚えていたことも事実だ。事の是非はともかく、絶対的な強者が勝つ快感。

かえで山の広場の中央に、誇らしげに腕組みをして立つ武志の姿は、彼自身の信奉する、そしてほとんどの少年たちが帰依《きえ》する、巨人軍と大鵬の姿そのものだった。


「なあ、武ちゃん。俺、ちかごろ変なんだ」

青梅街道ぞいの、古いカウンター・バーの止まり木で、英夫はグラスを舐めながら言った。

「なんだよ、体の具合でも悪いんか。出世して働きすぎじゃねえんか。もう若かねえんだから、あんまり無理すんな」

「いや、そうじゃない」

英夫は言いためらった。ジョージのことを口にすれば、武志の陽気な酒に水をさす。

武志は酒の肴に手渡された英夫の新しい名刺を、ランプシェードの下で遠目にかざした。

「まったく、てえしたもんだよなあ。対米調査室長、か。何だかお役所みてえな肩書きだけど――やれやれ、目が遠くなっていけねえ。おまえは近眼だからまだ平気だろう」

「そんなことはないさ。遠い物が見えないうえに近い物まで見えなくなった」

ジャケットの内ポケットから出した英夫の老眼鏡をかけて、「やだねえ」と、武志は高笑いをした。

対米室長は部長相当職である。総合商社の花形ポストでもあり、同期の出世頭にちがいなかった。

「おっかあも、玉の輿だよなあ。亭主はエリート、子供は開成と桜蔭だってか。ま、由美ちゃん、男を見る目があったってこった」

「なに言ってんだ。武ちゃんの嫁さんになってたら、今ごろ社長夫人じゃないか――ところで、そっちの社長夫人、どうなってるんだ」

「うちのおっかあ？――まあ聞いてくれ英ちゃん。そりゃ、悪いのは俺だよ。若い女かこって、ガキまで作っちまったんじゃあ、へそ曲げるのは当たりめえさ。けど、俺だってあのちっぽけな八百屋をよ、汗水流して四軒のスーパーチェーンにまでのし上げたんじゃないの。ちっとは男の器量ってものを汲んでだね」

「それは百回も聞いた。実家には行ったのかよ」

「行ったさ。それも山梨くんだりまで、三度だぜ。なにせふた親がまだ矍鑠《かくしゃく》たるもんでよ、おやじは市会議員、おふくろは党の婦人会長だって。埒《らち》があかねえ」

「何だって言うんだ。離婚か？」

武志はすっかり禿げ上がった頭を、おしぼりで拭った。

「なら話は早えよ。金で解決つくんならよ。自慢じゃねえけど、いくら不景気とは言え田舎大尽が納得するぐれえの金なら痛くも痒くもねえさ。ガキの認知を取り消せって、そりゃあんまり切ねえじゃねえかよ。第一、跡取りどうすんだ」

「そうか、跡取りねえ――」

英夫は武志と一緒に溜息をついた。ことの発端は武志の道楽であったにせよ、さきざきを考えれば無理からぬ気もする。二つちがいの妻と武志の間には、子がなかった。

「そりゃ十五年も連れ添ったんだから、おっかあにゃ悪いとは思うよ。けど、どう考えたって十五年できなかったものが、四十過ぎてできるはずはねえだろ。そしたらおまえ、ゆくゆく百人の従業員どうすんだ。八百屋から勘定すりゃ俺で三代目の老舗《しにせ》だぞ。おやじの代からの番頭だって、まだ三人もいるんだ」

やり場のない憤りを呑み下すように、武志は濃い水割りを呷《あお》った。いらいらと煙草をくわえて、ライターの火をさし向けた英夫の顔を見つめる。

「英ちゃん。おまえ、いいやつだな」

「……何だい、いきなり。酔ってるのか」

「いや、これっぱかしの酒で酔うもんか。ガキのころ、さんざひっぱたいたり、土下座さしたりしたのに。今だって、おっかあといやな思いすることもあんだろ」

「やめろよ、武ちゃん。そんなことは俺も由美子も、とっくに忘れてる。この間だって二人で酔い潰れてたら、金持って迎えに来たじゃないか。あらあら、しょうがないわねえって」

「由美子は、いい女だなあ」

煙を吐きながら、武志はしみじみと言った。

きっと武志は、子供のころ英夫をいじめたことと、由美子との腐れ縁の尻拭いをさせたことを、同じつながりで考えているにちがいない。

もちろん英夫には、武志の尻拭いをしたなどという自覚はない。

「俺、武ちゃんにいじめられたことなんてあったかなあ。殴られたことはあるな。土下座？——武ちゃんのお得意だったけど、俺はしてないよ」

言いおえたとたん、英夫はひやりとした。土下座をするジョージの姿が甦《よみがえ》ったのだ。武志と目が合った。おそらく武志も、同じことを考えている。

「実はな、英ちゃん——」

と、武志は柄に似合わぬ気弱な目を空のグラスに向けた。

「いってえ俺、何の因果でこんな苦労をするんだろうって、ずっと考えてんだ」

「おいおい、因果って、らしくないぞ」

「いや、ちょっと聞いてくれ。ここだけの話だからな、おっかあにも内緒にしてくれっか」

武志の表情は切実だった。

「ああ、いいよ。何だい、その因果って」

「俺の女——つまり、赤ん坊のおふくろな、日本人じゃねえんだ」

因果という言葉の暗い手触りを、英夫は背中に感じた。

「どういうことだ？」

「それも、フィリピーナや中国人じゃねえ。金髪の、真白い肌をしたロシア人さ。目だって、ガラス玉みてえに真ッ青だ」

　英夫は返す言葉を失った。古い酒場の止まり木が、ひどく不安定に感じられた。武志は差し出された水割りを、咽《のど》を鳴らして飲んだ。

「ガキもよ、とても混血にゃ見えねえ。金髪で、青い目をしてる。もちろんまちがいなく俺の子供だぜ。まちがいはないんだが……」

「可愛いだろう。齢が行ってからの子供だから」

「そりゃ可愛いさ。目に入れたって痛くねえほどだよ。でもなあ……」

「考えすぎだよ、武ちゃん。因果だの何だのって、そんなふうに悪く悪く考えるものじゃない」

「そうかなあ……でもよ、実を言うと俺、あのことを忘れられねえんだ。三十何年も経って、今さら因果だとか祟《たた》りだとか、思いたかねえよ。けど、本当にいっぺんだって、あいつを忘れたことねえもんな」

　相槌を打とうとして、英夫はすんでのところで言葉を呑みこんだ。

「偶然だって。どうかしてるぞ」

「いや、偶然にしちゃ、あんまりできすぎだ。いいか、英ちゃん。おまえはそんな道楽はなかろうが、歌舞伎町の外人バーには白人の女なんてめったにいやしねえんだ。あいつだってべつに俺が選んだわけじゃねえ。しかもいつの間にかねんごろになって、俺の子供を産んだ」

話すほどに武志は興奮してきた。怯えるというより、得体の知れぬ怒りに肩を慄わせ、煙草をせわしなく吹かす。

ふいにどっと力を抜いて、武志は呟いた。

「考えてもみろ。パンパンの子じゃねえか」


かえで山の原っぱをめぐる松と楓の森に、油蟬が空を蓋《おお》って鳴いていた。

八月に入ると、子供らの数は櫛《くし》の歯をひくように毎日減って行った。

暑い夏だったと記憶する。断水が続いて、井戸水のある家に水をもらいに行くことが、英夫の仕事になった。

アルミの薬缶《やかん》を両手に提げて、武志の家の井戸端に何度も通った。英夫の仕事が終わらなければ遊びも始まらないから、武志も一緒に水を運んだ。午前中を宿題と水汲みに費して、昼飯もそこそこに仲間さがしを始める。だが、盆も近いそのころには、町内をくまなく回っても野球の試合に必要な頭数は集まらなくなっていた。

それでも日ざかりのかえで山に登れば、誰かしらが待っていた。

運動靴の一歩ごとに、足元から粉のような土埃りが巻き上がった。石組の上にジョージと由美子が座っていた。ジョージの野球帽も由美子の白いブラウスも、石組から立ち昇るかげろうに揺らいでいた。

「二人っきり？」

と、由美子が不満げに訊《き》いた。

「しょうがねえよな。ヨッちゃんは海行ったって。ヒロシはあしたから信州のいなかだってさ」

と、武志は長嶋のスイングをそっくりに真似てバットを振った。

「英ちゃん、キャッチボールしようぜ」

武志と英夫は広場のまん中でキャッチボールを始めた。武志の覚えたてのカーブを英夫が後ろに逸らすと、ジョージは「オーライ、オーライ」と叫びながら球ひろいに走った。

キャッチボールに飽きると、武志は三人に向けてノックをした。だが、それもすぐに飽きた。いつまでたっても、かえで山に登ってくる子供はいなかった。

ジョージの持ってきた米軍の水筒の水を回し飲みながら遊びを探した。

缶けりをするには、がらんとしたかえで山の原っぱは適さなかった。かと言って、鬼ごっこをするには暑すぎた。馬乗りにしても手つなぎ鬼にしても、そのころの子供の遊びは大人数でするようにできていた。

「じゃあ、かくれんぼ」

由美子の提案に、全員が賛成した。かえで山の広場がまだ兄たちに占領されていたころ、よくそれをやって遊んだ。複雑な形に積まれた石組や巨木の森、夏草の背丈まで生い立つ茂み、材木置場。かえで山はかくれんぼに格好の場所だった。

ルールはすぐにでき上がった。

「山を下りたらだめだぞ」

「うしろは、公会堂の庭に入っちゃいけないのね」

「あっちは、材木のところまで。ズルしたら、バツ鬼だよ――わかったかよ、ジョージ」

初めてかくれんぼに参加するジョージは、定められた範囲を見渡し、にっこりと笑った。

「あとね、かくれんぼは夕方になったらやめなきゃいけないんだよ」

と、ジョージは振り返って付け加えた。「マミーが言ってたんだ」

「マミー、って誰だよ」

と、英夫は訊ねた。

「おかあさん。マミーはおかあさんで、ダディがおとうさん」

三人は顔を見合わせて笑った。生真面目にそんな解説をするジョージがおかしかった。

「そんで、どうして夕方になったらやめなきゃいけねえんだよ。遊びは何だっておんなじじゃねえか」

腹を抱えて笑いながら武志が訊ねた。

「ううん。かくれんぼはね、ぜったいにやめなきゃいけないんだって」

「どうして?」

「薄暗くなるまで隠れてると、出てこられなくなっちゃうんだってさ」

子供たちはまた声を揃えて笑った。そんな話は英夫も聞いたことはあるが、真顔で信じきっているジョージが、たまらなくおかしかった。

「本当だよ。マミーが子供のころ、どこかに消えちゃった子がいるんだって」

ふいに笑うのをやめて立ち上がると、武志はジョージの肩を拳で叩いた。

「バカ、そんなことありっこねえだろ。いいかげんにしねえと殴るぞ」

「だって、マミーが……」

武志は少し手かげんをしてジョージの頭を叩いた。それでもコツンと硬い音がした。

「パンパンの言うことなんか、信じられっか。さ、始めようぜ」

ジャンケンをして、まず英夫と由美子が勝った。ジョージが鬼になった。武志は明らかに後出しをしたのだが、誰も咎《とが》めようとはしなかった。

それから夕暮れまで続けられたかくれんぼは、正しくはかくれんぼではなかった。かくれんぼの名を借りた、弱い者いじめだった。

申し合わせたわけではないのだが、自然とそういう形になってしまうほど、ジョージは遊びの要領を得ず、動作も鈍かった。

原っぱの中央、ちょうどピッチャー・マウンドのあたりが鬼のすみかで、ジョージはそこに蹲《うずくま》り、膝を抱えて目を伏せる。

「もういいかい！」

「まあだだよ！」

子供らは散って行く。三人の「もういいよ」の声が揃ったところで、鬼は捜索を開始する。隠れ場所を見つかった者は鬼のすみかの位置に戻って虜《とりこ》になる。しかし「みっけ！」の声より先に、誰かが「アウト！」と叫んで鬼の体に触れると、虜は解放され、鬼は再びもとのすみかに戻って、初めからやり直さねばならない。

それが東京の山の手でごく一般的に行われていた、かくれんぼのルールだった。

ジョージは鈍重だった。懸命に捜すうちに、必ず誰かに背中を叩かれた。出合いがしらにもびっくりして「みっけ！」という言葉が出ず、めんと向かって「アウト！」と叩かれたりした。

そんなことを何度か繰り返すうちに、武志も英夫も由美子も、べつの面白さを発見してしまったのだった。「アウト」のときも触れたり叩いたりするのではなく、力いっぱい突き飛ばした。やがてジョージはべそをかき、それでもルールに従って泣きながら鬼を続けた。

かえで山の森や原っぱが橙《だいだいいろ》色の落日に染まっても遊びは終わらなかった。

「ねえ！　もう遅いから、やめようよ。じきに暗くなるよ！」

子供らが身をひそめる森のきわに立って、ジョージは泣き声で言った。どこかで武志の声が答えた。

「おまえの鬼が終わったらおしまいだよ。鬼やめはズルだからな」

松の木の裏で、由美子が見つかった。ジョージに手を引かれ、おどけて救いを求めながら、すみかに連れられて行く。ジョージは白い腕でしきりに涙を拭いながら、森に戻ってくる。派手なアロハ・シャツとジーンズは、アウトのたびに小突き回されて、見るかげもなく泥にまみれていた。

武志と英夫は罠をしかけていた。英夫がまず材木置場でわざとジョージに見つかり、やりとりをしている間にすぐ後ろの欅《けやき》の大木の陰から、武志が襲いかかるという寸法だ。

ジョージの近付く気配がすると、英夫は聞こえよがしの咳払いをした。ジョージはたちまち、平たく積まれた材木の裏に駆けこんだ。

「みっけ！　英ちゃん、みっけ！」

ジョージの表情はとうてい遊びとは思われぬほど真剣だった。走り寄って英夫の手首を摑む。

「痛いよ、ジョージ。ちゃんと捕虜になるから、手を放せって」

「いやだよ。さっきなんか、途中で逃げ出してまた隠れちゃったじゃないか。みんな、ずるいよ」

への字に結んだジョージの唇は、怒りで慄えていた。そのとき、武志が欅の裏から走り出た。

「アウト！」

振り向きざまのジョージを、武志は力まかせに突き飛ばした。ジョージは何メートルもはじけ飛んで尻餅をつき、そのまま声を上げて泣き始めた。

「もうやめようよ。暗くなるよ。おうちに帰れなくなっちゃうよ」

と、泣きながらジョージは懇願した。たそがれる森の中を見渡して、武志は答えた。

「じゃあ、あと一回な。一回きりでやめよう」

ジョージはしゃくり上げながら言った。

「本当に？　アウトになっても、やめてくれる？」

「ああ。みんなが見つかっても、おまえがアウトになっても、おしまいさ」

ジョージは肯《うなず》いて立ち上がると、広場に向かって走って行った。

笑い転げているうちに、由美子が駆け戻ってきた。

「あと一回でおしまいだって――まあだだよォ！」

由美子は言いながら、「もういいかい」と叫ぶジョージの遠い声に答えた。木の間がくれに、原っぱの中央で蹲るジョージの姿が見えた。小柄な体をいっそう丸めて、それは今にも消えかかるまぼろしのように、赤い砂埃りにまみれていた。

「もういいかい！」

「まあだだよ！」

三人は声を揃えた。隠れ場所を探して駆け出そうとする由美子と英夫の手を、武志は引き寄せた。

そして、笑いを嚙み殺しながらこう言った。

「帰っちゃおうぜ」

したたかに酔って酒場から出ると、蒸し暑い夏の夜だった。

足元もおぼつかぬ武志の腕を支えて、深夜のアーケードを歩く。あのころ町なかの八百屋だった武志の家は七階建の立派なビルになり、因果か祟りかはともかくとして、女房に逃げられた中年の社長が、その最上階に苦悩の独り身をかこっているというわけだ。

「離婚ならいつだってしてやるよォ。五千万？　一億？　そんなもんへでもねえや。わかるか英ちゃん。ナターシャはよ、籍を入れるまでは就労ビザだぜ。うちの社員てことにしてるけど、それにしたってあれやこれやと大変なんだ」

「わかったわかった。だけど、俺には何もできないよ」

「してくれなんて言ってねえ。おまえはいいな、祟られずにすんでよ」

公園の入口でガードレールに腰をあずけたまま、武志は動かなくなった。虚ろな目を、夜の蟬が鳴く繁みに向ける。

「俺たちのちょっと前までは、ここで野球をやってたんだ。危ねえだの何だのってケチなこと言わずにやらしていてくれりゃ、何もかえで山まで行かなくたってよかったんだ」

「つまらないこと言うなよ」

「よくここに、テレビ見にきたっけなあ」

この公園には早くから街頭テレビが設置されていた。十五インチほどの小さな受像機が櫓《やぐら》の上に置かれており、夕方になると、役場の係員が自転車を漕いでやって来て、鎖をかけた鋼鉄の箱の扉を開けた。

「ジョージは、ここには来なかったよな」

たしかに、あのころ押しあいへしあいしながらテレビを見上げていた何百人もの群衆の中に、ジョージがいたという記憶はない。

「あいつの家、テレビあったんかな。進駐軍の将校だもんな、あったに決まってる」

それはどうだろうか。仮にテレビがなくても、ジョージは町内の人々が大勢集まるような場所には、姿を現さなかっただろう。

英夫は思いついたことを口にした。

「一番たくさんの人が集まったのは、金曜の夜だったよな。三菱ダイヤモンドアワー」

「力道山、か。うん、金曜にはここいらに屋台まで出た」

「覚えてるか、武ちゃん。力道山は決してあっさりとは勝たないんだ。吉村と豊登《とよのぼり》がめちゃくちゃにやられて、力道山も血まみれになってさ、耐えに耐えた末、空手チョップを繰り出す。必ずそういう筋書きだったろう」

力道山の逆襲と大勝利に、人々は歓声を送り、溜飲を下げたのだ。日本のタッグ・チームが敗けたという記憶はない。

「そんな雰囲気のところに、ジョージが来たくたって来られるはずはないじゃないか」

「――まあ、そりゃそうだな」

考えてみれば、あのころは世界中を相手にして戦ったひどい戦争から、まだ十年と少ししか経ってはいなかったのだ。

「実はな、英ちゃん。うちのじじい、ジョージのおふくろに物を売らなかったんだ」

「おやじさん？」

「いや、覚えてるだろう、じいさんだよ。パンパンに売る物はねえよって、店先で追い返したことがある」

「ほんとかよ」

「ああ。因業《いんごう》なじじいだったが、わからんでもねえんだ。倅《せがれ》を二人、戦争で亡くしてるからな。物を売らないだけじゃなくって、店の前を通り過ぎただけで、これ見よがしに塩をまいたりしてた」

「それはべつに、武ちゃんのじいさんに限ったことじゃなかったよ。俺だって、ジョージはパンパンの子だから遊ぶんじゃないって言われてた」

「考えてみりゃ、かわいそうだよな。俺もやっとこさ人の親になって、つくづく考えさせられた」

スーパーチェーンの社長というより、まだ八百屋のおやじと言った方が通りの良さそうな筋肉質の体を、武志は叱られた子供のようにちぢめていた。

「こんなこと、考えたんだ。ジョージのやつ、何で立川の米軍ハウスに住まずに、こんな町なかにいたんだろうってよ。おやじは週末にしか帰ってこなかったし——なあ、英ちゃん、あいつ今の俺んちと同じで、おふくろの籍が入ってなかったんじゃねえのかな。現地妻みたいなのじゃなかったんか」

考え過ぎではあるまい、と英夫は思った。そうと思い当たる状況に自分が立たされてみれば、おそらくそれは人の親として当然の分析にちがいない。

あの日の夕方——武志と英夫と由美子は、「もういいかい！」と呼び続けるジョージを原っぱに置き去りにして、かえで山を下りた。口々に「まあだだよォ！」と叫びながら。

そして、ジョージはそれきり行方が知れなくなった。母親が忠告した通りに、あの日からジョージは、忽然《こつぜん》と姿を消してしまったのだった。

翌日、刑事が聞きこみにきた。一緒に遊んだけれども、夕方かえで山で別れたと英夫は答えた。何日かして、ジョージの母親がＭＰと一緒にやってきた。英夫は同じことを答え、祖父と通訳は口喧嘩をした。立ち去るときの母親の恨みがましい目つきを、英夫は忘れない。

答えに嘘はなかった。余分なことを話さなかっただけだ。口裏を合わせたわけではなかったが、由美子も同じ答えをしたと、後に聞いた。武志の家では答えも何も、はなから祖父が憤《いきどお》って、刑事もMPも追い返してしまったということだった。

ジョージのことは、それきり忘れた。いや正しくは、忘れようとつとめた結果、めくるめく時代の流れの中で次第に薄らいで行った。

「武ちゃん、俺な、ずっと考えてきたんだけど、あの事件はちょっとおかしいと思うよ」

「おかしいって？」

ガードレールに腰かけたまま、武志は充血した目で、すがるように英夫を見た。

「ニューヨークにいたころ、考えついたんだ。アメリカ人っていうのは公明正大なように見えて、けっこう陰湿なところがある。七年も住んでいれば、いろいろといやな思いもする。つまり――ジョージは行方不明になったりしたんじゃなくて、そういうふうにでっち上げられたんじゃないのかな」

「まさか……」

もちろん仮説である。だが、そう考えると、思い当たるふしはいくらもあった。

「新聞にも載らなかったし、警察がしつこく捜査した記憶もないんだ。子供がひとり消えたっていうのに、そんなことってないだろう。それに、ジョージの一家はいつの間にか町からいなくなった」

ジョージの家の門に、「貸家」の看板が出されたのは夏休みのうちだった。

「そう言やあ、あれからすぐいなくなっちまったっけな。変ていや、変だ」

「帰国したか、キャンプに入ったのか、どっちにしろあの事件は、恨み重なるこの町に対する、彼らなりの復讐だったんじゃないのかな」

「なるほどな……つまり、おふくろの籍が入ったのをしおに、お引越しか。で、あの日泣いて帰った倅から事情を訊き出して、一計を案じた、と」

武志は汗ばんだ顔を両手で拭って立ち上がった。

「ま、そう考えることにすっか」

青梅街道は不景気な空車の赤ランプで溢れていた。ドライバーはみな二人の酔っ払いの前まで来ると、物欲しげにスピードを緩めた。

武志の言った「祟り」という生々しい言葉が、耳について離れなかった。

深夜に帰宅してベッドに入ってからも、英夫は悶々とあの日のことばかりを考えていた。ニューヨークにいたころ思いついた「狂言説」は、記憶から免れるための希望的な仮説に過ぎない。やはりジョージは、少年たちの手ひどい仕打ちに絶望して、失踪してしまったのだろうか。どこかの人知れぬ場所で死んでしまったのか、あるいは変質者に傷心の身を委ねてしまったのだろうか。子供が忽然と姿を消してしまうのは今日でもあることなのだから、人々の多くがまだ生きることに必死であったあの時代には、新聞も取り上げぬほどの瑣末な事件だったのかもしれない。大がかりな狂言よりも、そう考える方がやはり自然だろうと思う。

その夜、英夫は久しぶりに妻を抱いた。

空虚な営みを感じた。他の女を抱くときのように、滾《たぎ》るような感情を妻にだけ注ぐことができないのはなぜだろう。齢《とし》のせいではない。若いころから、ずっとそうだった。

おたがい愛情には徹底的に欠けていると思う。なりゆきで結婚し、惰性で時を経た。十五年という歳月は、そんな空疎な関係などおかまいなしに過ぎた。これは不幸な話だと、体を離したあと英夫はしみじみと思った。

友人たちを見ていると、見合い結婚でも愛情は十分に芽生えるようだ。むしろ一流商社マンには多いそうした形の方が、緊密な夫婦関係を築くように思える。

他人同士でもうまく行くのに、どうして幼なじみの自分たちが、乾いた結婚生活を送らねばならないのだろう。自分も妻も、同じ年頃の男女に比べてことさら魅力に欠けるとは思えない。

妻がかつて武志の女であったという事実――それは重い。頭では忘れ去ったつもりでも、心が覚えている。

気心の知れた親友の武志に対しては、人並みの嫉妬というものが湧かない。それがなおいけない。愛情によって凌駕《りょうが》しようとする嫉妬心がはなからないので、妻を抱くたびに、こいつは武志に抱かれた女なのだと、心のどこかで決めつけている。

それはたぶん、妻も同じだろう。夫は腐れ縁の尻拭いをしてくれたのだと、今もおそらく考え続けている。

　この夫婦関係は何とかしなければ、今節流行の「理由なき離婚」が、定年と同時にやってくるような気がする。

　もしかしたら——これこそが自分と由美子の上にもたらされた「祟り」なのではなかろうかと、英夫は裸の背を慄わせた。

　闇の中で、妻が呟いた。

「武ちゃんと、飲んでたの？」

「ああ。珍しく酔っぱらってた。この前みたいに電話しようと思ったけど、何とか家まで送ったよ」

「私を肴《さかな》にしてたんでしょう」

　深い意味はないのだろうが、英夫は言葉に刺《とげ》を感じた。言い争ってはならない。十五年間、ずっとそうしてきた。

「いや。例の話をしていた」

「例の、って？」

「ジョージのことさ」

「いやねえ」と、由美子はベッドの上に身を起こして、枕元に置かれた飲みさしのビールを口に含んだ。グラスを額に当てる。

「あしたよ」

「え？　――何だっけ」

「八月九日。武ちゃんとあなたと私とで、ジョージにひどいことをした日」

電気スタンドに照らし上げられた妻の顔は美しかった。口元は微笑んでいるが、悲しい瞳だ。

「何でそんな日付まで覚えているんだ」

「ずっと忘れていなかったもの。毎年どきどきしながら八月九日が近付くのを待ってね、目をつぶってやり過ごしてたわ。あなたが変な寝言を言い出さなければ、きっと今年もそうしてた」

それから妻は、シーツを巻いたままの膝を胸に抱き寄せて、きっぱりと言った。

「怒らないで聞いてくれる？」

「どうぞ。俺が怒ったことあるか」

「ありがとう――私たちが一番気にしていることはね、武ちゃんのことじゃないと思うの。ごめんね、怒る？」

「怒らないよ。続けて」

「だから、そんなことじゃなくって、あのジョージのことなんじゃないかって、私、思ったんだけど」

頭のいい女だと、英夫は思った。たぶん毎夜くり返される夫の寝言を聞くうちに、そう思いついたのだろう。

由美子は壁のカレンダーを見上げた。

「土曜日ね。あした、かえで山に行ってみない。お願い、あしたの夕方、一緒に行ってよ」

お願いします、と妻は抱えこんだ膝の間に顔を埋めた。

「行って、何をするんだ」

「私、あなたのこと好きだから。信一《しんいち》や紀子《のりこ》のおとうさんっていうだけじゃなくてね、あなたのこと愛していたいから。お願いします、一緒に行って下さい」

言いながら由美子は涙声になった。


翌日、英夫は予定していたゴルフをキャンセルした。

庭の隅に造りつけたネットにボールを打ちこみ、パターの練習をし、長い時間をかけてクラブを磨いた。体を動かしていなければ時を過ごすことができなかった。

娘は夏期講習に出かけ、息子は朝から部屋にとじこもってパソコンを叩いていた。妻はまるで大晦日のように、家じゅうの掃除をしていた。

ひととき絶えていた蟬の声が、最近になってまたこのあたりにも戻ってきたのは、どうしたわけなのだろう。

そんな年寄りくさい感慨を口にすると、妻は二階のバルコニーから見下ろして、

「そのうち蜩《ひぐらし》も鳴くんじゃない。昔みたいに」

と言った。

あの日、昏《く》れかかったかえで山に、蜩は鳴いていたのだろうか。油蟬の喧《けたたま》しい合唱は思い出すことができるが、カナカナと夕空に鳴き上がる蜩の声までは記憶にない。

おそらく妻はあの日からずっと、出来事を反芻《はんすう》し、悩み続けていたのだろう。いや、かえで山をこっそりと下るとき、由美子は犯した罪の光景を、幼な心に灼《や》きつけたにちがいない。

あのとき、ジョージの「もういいかい！」と呼ぶ声に、「まあだだよ！」と答え続けながら、由美子はふいに口をつぐみ、坂道に立ちすくんでしまった。

ジョージ、かわいそうだよ。ちょっとひどすぎるよ——たしか、そう言った。

自分と武志は笑いながら由美子の両腕を摑んで、かえで山を下った。妻に対してもひどいことをしたのだと、英夫は思った。

「ひーでーちゃあん！」

武志がお道化《どけ》て呼んだ。

「はーあーい！」

と、妻が調子を合わせた。

ちょうどかえで山に出かけようと、玄関に下りたときだった。ドアを開けると、土盛りをした庭の下で、武志が笑っていた。

「かえで山、行こうぜ。二日酔でまだ頭痛えんだけど」

英夫と由美子は顔を見合わせた。いったいどういうことだろう。

「おまえ、呼んだのか」

「ううん。あなた、電話したんじゃないの？」

「するわけないだろう」

「武ちゃん、覚えてたのよ。今日のこと」

二人が並んで玄関を出ると、武志もふしぎそうな顔をした。

「あれえ……おまえら、覚えてたんか」

「悪い？」

と、由美子が笑った。

「いや、べつに悪かねえけど。へえ、そうなんかよ。説明する手間が省けて助かった。きのう英ちゃんに言おう言おうと思ってて、酔いつぶれちまった」

「ちゃんと言ってくれなきゃだめじゃないかよ。由美子が思い出さなけりゃ、俺はわからなかったんだ」

三人はそれきり言葉をかわさずに、涼やかに風の吹きすぎる住宅街を歩いた。

昔は亀甲形の小さな石畳を組んであったバス通りを下り、蓋をかぶせて細長いプロムナードになってしまったドブ川の跡を過ぎる。

「あれえ、いつの間にか畳屋なくなっちまってる」

「そんなの、ずっと前よ。武ちゃん、散歩もしないの？」

「ここんちのやつ、何てってたっけか。泣き虫のチビ」

「ヨッちゃんだろう。あれが畳屋を継がなかったから、やめちゃったんだよ。地上げにかかってさ、田無だか保谷だか、あっちの方に引越した」

「へえ。親不孝な野郎だねえ。その点俺たちゃ、地元住民の鑑《かがみ》だな。いまだに御輿は担ぐわ、町内会は維持するわ、宴会だって欠かさねえ」

「大手スーパー出店反対の署名運動もしたわよ」

「ありがてえ。持つべきものは友だな」

改まって町並を観察すれば、あのころと同じたたずまいの家は、もうどこにも残ってはいなかった。

しかし、かえで山は昔のままだ。

公会堂は立派に建て替えられているが、松と楓と欅のうっそうと茂る森も、崩れた石垣の跡も、まるで昔のままだった。

「ここは都有地だからよ。それにお狩場の跡とかで、史跡に指定されてるんだと」

「だったら、公園にするとか何とか、もっと有効に利用する方法はないのかね」

「けっこうなことじゃねえか。きょうびガキの時分に遊んだ原っぱが健在だなんて、よそにゃねえぞ」

三人は夏草の茂る広場の中央に立った。夕映えは西空のビルのはざまに退いており、あたりには昔と変わらぬ夏のたそがれが迫っていた。

「今のガキは、野球しねえんかな」

武志はかつてピッチャー・マウンドのあったあたりに立って、夏草を踏みつぶした。

「みんな塾よ。やりたくたって、頭数が足らないわ。うちの子供たちだってたぶん来たことないわよ」

由美子は石組の上に立って、まばゆげに昏《く》れかかる空を見上げた。

「へえ……そんなもんかねえ」

「グローブとボール、持ってくりゃよかったな、武ちゃん」

ホームベースのあたりに立って英夫が言うと、武志は腕を回しながら答えた。

「ばかよせ。四十肩がひどくって、いてて、キャッチボールなんて、考えただけで痛えや」

「四十肩？　――四捨五入すれば、五十肩よ」

風が渡って、三人の口から言葉を奪った。

そのとき、森の中からカナカナと鳴き上がる蜩の声を、英夫はたしかに聴いた。

ふいに、由美子が体をふりしぼるようにして叫んだ。

「もう、いいよー！」

夏草に膝まで埋もれて、武志はうなだれていた。

「武ちゃんも、言ってあげてよ。ちゃんと、言ってあげて」

武志は太い腕を目に当てて、子供のように泣き出した。

「言ってあげてよ、武ちゃん。暗くなっちゃうよ。もう一回きりでやめないと、おうちに帰れなくなっちゃうから」

瞼をこすりながら武志は肯いた。禿頭を上げると、濁《だ》み声を張り上げて、武志は叫んだ。

「もう、いいよー！」

何度も、武志は繰り返した。

「あなたも言ってあげてよ。英ちゃん、お願い。言ってあげて」

石組の上に立って、白いブラウスの肩をすぼめる妻は、あの日と同じ少女のままだ。

「言ってあげてよ、英ちゃん。お願いだから」

妻の涙を見たのは、初めてだった。涙も流せぬような暮らしを強いてきたのだと、英夫は思った。

英夫は思い切り叫んだ。

「もう、いいよー！」

言ってしまってから、こんなことですべてが回復できるのだろうかと英夫は思った。だが、そうしなければならない。おそらく武志や由美子は、自分よりも悩み続けてきたにちがいないのだから。

因縁か祟りかはわからない。仕組まれた狂言に踊らされたのかもしれない。しかしあの事件が、自分たちの原罪であることは確かだ。

三人はもういちど、「もういいよー！」と声を揃えた。

ふしぎな静寂がやってきた。

「失敗したなあ。もうちょっと前に気が付いてりゃ、由美子は俺のかみさんになってた」

武志はぶつぶつと愚痴を言った。

「あとの祭りよ。さ、帰ろ、武ちゃん」

石組から下りると、由美子はぼんやりと佇《たたず》む武志に駆け寄って、肥えた背中を押した。

「それにしても、ジョージのやつ、どこ行っちまったんだ」

「今ごろペンタゴンで出世してるわよ。土曜は子供とキャッチボールかな」

「ガキにもバカにされてるんじゃねえか。あいつ、ぶきっちょだったから」

山を下るとき、三人はもういちど原っぱを振り返った。

いずれここにもマンションが建ってしまうだろう。

「これで、もういいね」

由美子は武志の背中から手を放すと、夫に腕をからめた。

汗ばんだ頬が肩にもたれかかったとき、英夫は妻を愛していると思った。

うたかた

「ねえ、係長。この仏さん、本当に餓死したんですかね」

「そりゃおまえ、一目瞭然《いちもくりようぜん》だろう。冷蔵庫の中はからっぽ、電気もガスも、止まってる、ボランティアが置いて行った食料も、ぜんぶ食っちまってる」

「それにしても、ふしぎだなあ。眠ってるみたいですよ、まるで」

「通帳にはけっこう金も残ってたし、餓死と言っても覚悟のことじゃないのかね。ボランティアの話によると、ニューヨークにいる倅《せがれ》のところへ行くことになったからって、嬉しそうにしてたそうだ」

「その息子さんが何も聞いてなかったということはつまり——覚悟の自殺、と」

「自殺とは言えんな。積極的に死んだわけじゃないんだから。衰弱して、死が訪れるのを待っていた、か。——すごいね」

「わけがわからないなあ。ベランダに顔だけ出して、やっぱり救《たす》けを呼ぼうとでもしたんじゃないですか。もっともこの団地はもうもぬけのからで、このばあさんが最後の住人だけど」

「最後のひとり、かね」

「ええ。さっき供給公社で確認をとりました。来月中にはこのばあさんも出て行くってことで、了解していたそうです。取り壊しの工事は秋から一斉に始まって、高層マンションが建つらしい」

「へえ、そうかね……ああ、なるほど。敷地には桜の木がいっぱいだ」

「なるほど、とは?」

「すっかり葉が出ちまっているけど、ばあさんが死んだころは、ちょうど満開じゃないのか。うん、たぶんそうだな」

「すごい推理ですねえ。つまり、仏さんは満開の桜を見下ろしながら息を引き取った、と。だからこんなにいい顔をしてる。そういうことですね」

「ちょっとロマンチックすぎるかな」

「いや。説得力ありますよ。ほら、見て下さい係長。葉桜になってもこんなに花が残ってるんだから、盛りはみごとですよ、きっと」

「古い団地だからなあ、ここは」

「うたかたの、光のどけき春の日に……」

「何だ、そりゃ」

「しず心なく花の散るらん……」

「ハハッ、そうじゃない。ひさかたの、だ」

「え、ひさかたの？　――うたかたの、じゃないですか」

「ひさかた。うたかた。……まあそんなことはどっちでもいい。要するに、そういう気分で往生した、と」

「うたかたの、光のどけき春の日に、か――何だかしみじみしますねえ。木暮房子《こぐれふさこ》。七十二歳。亭主は十年前に死んでます。まったく、何で餓死なんかしなきゃならなかったんでしょうねえ。子供らとよっぽどうまくいってなかったのかな」

「どれ、見せてみろ――へえ。倅は一流商社のニューヨーク支店長、娘はフランス人と結婚して、パリ在住か。何だか、見えないね、人生が」

「偏屈なばあさんだったらしいですよ。役場の世話にはならない。ボランティアが来たっていい顔しない」

「だが、最後にこういう顔ができるのなら、偏屈な人生も悪くはないな」

「やってみたらどうです、係長。ちょっと根性がいるけど」

「根性だけじゃだめだ。環境が許さなけりゃ。俺の家じゃ、まず桜がないだろ。第一、女房が俺より先にくたばるなんて、考えられん」

「それは、言えますね」

「おまけに倅はおまわり。娘は売れ残ってる」

「最悪の環境ですねえ」

「この際、おまわりでもかまわんと思ってるんだが、お前、婿にどうだ？」

「いえ。その件は先日お話しした通り――」

「うたかたの、光のどけき春の日に、か……いい団地だなあ」

「人ッ子ひとりいないんじゃ、夜なんかさぞ淋しかったでしょうけどね」

「さて――おい鑑識、もういいか。仏さん、出すぞ」

「何だか動かすのが悪いみたいですね」

「いいだろう、もう往生しちまったんだ。よかったなあ、ばあさん。あとは病院で調べてもらって、子供らが来るのをゆっくり待とうな。ハイ。結了、結了」

「勝手に捜査結了しないで下さい」

「あとはおまえがやれ」

「え、そりゃないでしょう、係長」

「定年前のロートルがやる仕事じゃない。だが、若い者にとっちゃコロシやタタキよりいい勉強になる。専従でやれ」

「専従って……ちょっと待って下さいよ、係長。私だって忙しいんですから」

「はい、俺は捜査結了。うたかたの、光のどけき春の日に、か……やれやれ」

ドアに鍵をおろし、ロックチェーンをかけたあと、房子は長いこと玄関に佇《たたず》んで頭《こうべ》を垂れていた。

苦い嘘だった。鏡に向き合って何度もくり返し練習したのだから、表情もせりふも完全だったと思うけれど。

一生に一度ぐらい嘘をついてもいいだろうと、房子は胸の中で良心に抗《あらが》った。

息子がニューヨークの郊外に家を買ったんです。会社の都合で、まだ当分は日本に帰って来られそうもないっていうから、私もこの齢《とし》になって外国になんか行きたくはないんですけどねえ。お嫁さんや孫たちにまでせっつかれたんじゃ、そうそうわがままばかり言ってはいられません。この団地も、私が出て行くのを待ってるようなものですから。写真を送って来たんですよ——ほら、この家。こんなに広い芝生があるんです。家も大きくって、日本じゃとても考えられませんよねえ。向こうに行くことは、べつに不安じゃないんです。ただ、洋間にベッドっていうのと、腰かけるおトイレね。それがちょっと。そんなものはじきに慣れるよって言うんですけど、ほら、私もこの団地に四十年ちかくも住んで、すっかりここのくらしに馴《な》じんじゃってるでしょう。でも、他に身寄りもないし、お友達はみんな引越しちゃって、万がいちのことがあっても、これじゃ誰もわかりませんからね。体の丈夫なうちに子供の厄介になっておいた方が、いいと思って。そういうわけですから、いろいろとお世話になりましたけど、今後のことはご心配なく。ごめんなさいね、いま荷造りの最中なの。お茶もお出しできなくって。ありがとう。さよなら。

――心から祝福してくれたボランティアの笑顔が、瞼《まぶた》に灼《や》きついていた。

秋田《あきた》というその青年のことを、良くは知らない。

去年、二十五だと言っていたから、子供らよりもむしろ孫の齢に近い。大学を出て小さな出版社に勤めるかたわら、休日には老人介護のボランティアをしているそうだ。

房子は秋田が置いて行った手提げの紙袋を開けてみた。食パンにお菓子。バナナ、缶詰、お饅頭《まんじゆう》、それにお米の小袋。

こういうものを買うお金は、役場から出ているのだろうか。もしかしたら秋田は、自分のポケットマネーでこうしてくれているのではないか、と房子は思った。

有難いことだけれど、今の房子には厄介な代物だった。

せっかく冷蔵庫もからっぽになり、お米もおしまいになったというのに。

「さて、どうしましょ。捨てるわけにも行かないわねえ」

いつもの癖で誰に言うともなく独りごちながら、房子はすっかり取り片付けられた台所の棚に、紙袋を置いた。

食べれば予定が狂う。食べなければ、あとで秋田を悲しませることになる。そうかと言って、他人の真心をゴミ箱に捨ててしまうのも気がとがめる。

台所の歪《ゆが》んだ窓ガラスごしに、自転車を漕いで去って行く秋田の姿が見えた。

食料のお礼を言い忘れたことを思い出して、房子は立てつけの悪い木枠の戸を開けた。ベランダに出て、手を振った。

「秋田さあん、ありがとう。いただきまあす」

自転車を止め、ほころびかけた桜の枝の合間から声を探すように、秋田は四階のベランダを見上げた。

「はあい。つまらんものですけど。他に必要なものがあったら、遠慮なくうちに電話して下さあい」

秋田が行ってしまうと、ひとけのない団地は造り物のように静まり返った。まるで映画のオープンセットか、芝居の書割のようだ。動くものといえば、荒れた草むらで虫をついばむ、鳩《はと》と雀《すずめ》だけだった。ゴミが出ないから、近ごろでは烏《からす》さえ間遠になった。

団地をめぐる甍《いらか》の上に、大きな夕日が沈んで行く。

昭和三十五年に越してきたころには、団地の柵《さく》の外はみな畑だった。ビルどころか民家さえなかったのだから、晴れた朝には丹沢の山なみと、その奥の富士山までもが手に取るように望まれたものだ。

房子はベランダの手すりに肘《ひじ》を置いて、立ち並ぶマンションのすきまの富士山のシルエットを、あかず眺めた。

「おい、カーテン閉めろ」

ビールを一息に飲んで、一日の疲れを吐きつくすように溜息をつくと、夫は房子に命じた。

「そんなに神経質にならなくたって平気ですよ。よその家にテレビ見せて下さいなんて、もうそういう時代じゃないわ」

「だが、街頭テレビにはまだけっこう人が集まっているぞ」

「それはあなた、まだ高いお家賃を払っている人はね、なかなか買えませんよ。屋上に建っているアンテナの数を勘定してごらんなさいな。ほら――」

幼い美智子《みちこ》が、立ち上がった夫の兵児帯《へこおび》にぶら下がるようにして、夕空に並ぶ向かいの棟のアンテナを数えた。

「ひとおつ、ふたあつ、みっつ……」

一棟二十四世帯のうちの十五棟までがテレビを所有していることになる。夫にはよほど意外だったようだ。

「室内アンテナっていうのもあるから、ほとんど持っていると思うわ」

「信じられんな。俺はよっぽどの決心をしたんだけど」

「どこの家も考えることは同じよ。抽選に応募する条件からするとね、生活の程度はどこも同じなんだもの。みんな、よっぽどの決心をしたということ」

「ふうん。まあ考えてみりゃ、どこの家も二十倍の抽選に当たったんだからな。テレビぐらい買えなきゃ、おかしいか」

「それにしても、よく当たったわよねえ。契約のとき、一回目ですって言ったら、みんなびっくりしてたわ」

「おまえ、ひょっとしてクジ運が強いんじゃないのか。ついでに宝クジも買ってみたらどうだ」

　蛍光灯の白い光が幸福だった。中央線の通勤地獄にもめげず、夫は朝の七時には家を出、毎日六時半には、玄関のブザーを押した。初台のアパートに住んでいたころと比べれば地の涯《はて》のような気もするが、夫は愚痴をこぼしたためしがなかった。

「おとうさん、きょう『事件記者』見てもいい？」

　食事の手を休めて、秀樹《ひでき》が言いづらそうに言った。

「宿題は、終わったのか」

「きょうは、ないんだ。こっちの学校ね、あんまり宿題を出さないんだよ」

「だったらその分、勉強をしなけりゃ」

「うん。そしたらテレビ見てもいいよね」

　ごちそうさまでした、と秀樹は頭を下げて、箸《はし》と茶碗《ちゃわん》を台所に持って行った。襖《ふすま》を引いて六畳の子供部屋に入る。椅子のスプリングが軋《きし》んだ。

「ねえ、あなた」

と、房子は夫の顔を招き寄せた。

「やっぱり、ぜんぜん違うわよ。勉強部屋があるっていうの。帰ってきてからも、まず勉強だもの」

「今までは机もなかったからな。六畳一間じゃ、仕方なかったけど」

団地の畳はやや小ぶりだが、それでも初台のアパートでは家族四人が暮らしていた六畳間をそっくり子供にあてがえるのだから、こんな贅沢《ぜいたく》はない。

「いっそ、中学から私立を受けさせちゃいましょうか。麻布とか、開成とか」

「さあ、どんなものだろうな。あんまり背伸びをしても、ろくなことはないぞ」

「あの子、勉強できるわよ」

「秀樹のことじゃない。親が背伸びしてはいかん。中小企業のサラリーマンとしてはだね、やはりふつうの中学から都立の高校に行かせるのが、分相応だろう」

「そうね。欲を言っちゃいけないわね」

夫はいかにも実直そうな黒ぶちの眼鏡を輝かせて、真新しい壁を見渡した。

「欲を言うと、幸せが逃げてしまうよ。まるで夢みたいじゃないか。そうだろ、房子」

ベランダでぼんやりと景色を眺めているうちに、すっかり体が冷えてしまった。

お茶を入れよう。

棚の上の紙袋に目が行った。

「お饅頭、いただいちゃおうかしらねえ。せっかくきょうからって思ったのに、秋田さん、わかってるみたい」

ラップでくるまれた小さなお饅頭が三つ。とりあえず一ついただいて、二つはお供えにしましょう。

房子は四畳半の引戸を開けた。

玄関から入ると、左にお風呂とお手洗。洗面所もちゃんとついている。右に進めば細長い台所。その奥が襖で仕切られた六畳が二間。反対側に四畳半の寝室。どの部屋も畳敷で、窓にはアルミサッシも入ってはいない。何年か前に公社が壁を塗りかえてくれたほかは、入居したときと何も変わってはいなかった。

小さな仏壇に饅頭を供え、鉦《かね》をひとつ叩いて、房子は居間に戻った。

空腹に熱い茶がしみた。

子供らを、上手に育て過ぎたのかしら、と房子は思った。夫は、秀樹が商社に入ったときは手放しで喜んだが、美智子が大学を出て新聞社に就職したときには、ひどく不機嫌だった。やがて二人の子は巣立つように団地を離れ、ともに外国の任地へと赴《おもむ》いた。

フランス青年との交際を宣言した美智子のエア・メールを、夫は玄関で一読するなり破り棄てた。後にも先にも、夫婦が怒鳴り合いの喧嘩《けんか》をしたのは、その一度きりだ。

子供らの教育について、格別に考えたことはなかった。だが二人とも学校の成績は優秀で、性格も素直に育った。

ふしぎなことに、団地の子供らはみなどの家も似たようなものだった。環境のせいだろうと思う。広い敷地に豊かな緑。春は桜が一斉に開き、秋は欅《けやき》が赤く色づいた。そして、家族がそれぞれ最小限のプライバシーを保ちながら、いつでも手の届く場所にいるという、実にころあいの家庭の大きさ。

そうした環境が、優秀な団地の子供らを育《はぐく》んだのだろう。

掌《てのひら》を茶碗で温めながら、房子は窓辺ににじり寄った。静まり返った公園に、意味のない銀色の街灯がともっていた。昏《く》れた海のただなかに浮かぶ、灯台のようだ。光の輪の中を、夜の樹々たちの醸《かも》し出す霧が、ゆったりと流れている。

広い敷地のあちこちに点在する公園のうちでも、そこはとりわけ大きかった。位置も団地のほぼ中心で、誰が言うともなく中央公園と呼び習わされていた。

週末には紙芝居がやって来た。夏にはアイス・キャンデー売りが、冬には焼き芋屋が、夜が更けると夜鳴きそばが来て、チャルメラを吹いた。

昼間は奥様族の井戸端会議の場所となり、午後になればそっくり子供らと入れ替った。

団地が老いて行くにつれ、子供らの数は減り、窓まどに灯のともらぬ家も増えて行った。いま房子の胸に最も応えるものは、闇よりも孤独よりも、中央公園の水底《みなぞこ》のような静謐《せいひつ》さだ。

「おかあさん、そこの公園に遊びに行ってもいい？」

ようやく家具の位置を決め、荷解きも始まらぬうちに秀樹は言った。

「だめだめ。ぜんぶ片付《つ》いてからだよ」

と、夫が蛍光灯を吊りながら言った。

「ぜんぶって、いつ？」

「きょうじゅうに片付けるさ。おとうさん、明日は会社だ」

窓ガラスを拭《ふ》きながら、房子は向かいの棟を眺めて、おかしくなった。まるで運動会のような騒ぎだ。入居開始の最初の日曜に、住人たちは一斉にやって来た。どの家にも同じ年頃の夫婦が立ち働いており、子供らがはしゃぎ回っている。

過不足のない一定の収入と、子供のいること。それが応募の資格だった。考えてみれば、目の前に判で捺《お》したような光景がつらなるのも、当たり前だ。

「見てよ、あなた。何だかいっぺんに巣作りでもしているみたい」

「そりゃあおまえ、男手がなけりゃ引越しができんだろう。日曜しかないさ」

「お引越し休みって、とれないの？」

「ばか。今どきそんな暇な会社があるものか。明日の朝はもっと見物《みもの》だぞ。くたくたに疲れたおやじたちが、顔だけにたにたしてバス停に並ぶんだ。ああ、考えただけでおかしい」

夫は踏み台の上で、声を立てて笑った。

たぶん、この生活の始まりを最も喜んでいるのは夫だろう。会社からは遠くなったが、初台の古アパートよりも安い家賃で、緑に囲まれ、お風呂まで付いた文化生活が手に入ったのだから。

窓の下にはほころびかけた桜の枝が並んでいる。

「ねえ、おとうさん。そこの公園で、もうみんな遊んでるよ。早く行かないと仲間はずれになっちゃう」

「よおし、できた。待ってろよ。蛍光灯をつけるからな」

夫は踏み台から下りると、神妙な顔で柏手《かしわで》を打ち、蛍光灯の紐《ひも》を引いた。

「わあ、ついた。電気より明るいね」

「うん。それもそうだけれど、蛍光灯は電気代もかからないんだ。テレビを買ったからな、そのぶん蛍光灯をつけて倹約しなきゃ」

「テレビ！」

と、秀樹は金切声を上げた。

「ほんと、おとうさん」

「ああ、本当だとも。日立の十四インチ。今週中には届くぞ」

夫は誇らしげに腕組みをした。配達されるまでは内緒にして、子供らをびっくりさせてやろうと話し合っていたのだが、夫は辛抱しきれなくなったらしい。

秀樹は何が起こったかわからずにきょとんとしている美智子の手を引いて、玄関から駆け出して行った。

房子はベランダに出て、公園を見下ろした。

同じ年頃の子供たちが、コンクリートの山や砂場やジャングル・ジムに集まり始めていた。東京中のあちこちのアパートからやってきた、見知らぬ仲間たち。だがすでに、いくつものグループができている。

「ねえ、あなた」

いったい何を言おうとしたのだろう。考えがうまく言葉にならずに、房子は棟に沿ってぎっしりと植栽された桜の若木を見下ろした。

「何だよ」

言葉が胸に詰まってしまった。

「幸せって、目に見えるのね」

答えずに黙っているのは、夫も同じ思いなのだろう。

予科練から軍隊毛布一枚を持って復員してきた男と、親兄弟を失い、命からがら満洲《まんしゅう》から引き揚げてきた女が所帯を持った。

「神様は、ちゃんと帳尻を合わせてくれるんだよ。おたがい、苦労したからなあ」

房子は夫の言葉を、春の風とともに胸いっぱいに吸いこんだ。

「何だか、こわいみたい。こんな幸せが、ずっと続くのかしら」

「続くといいよな。いや、続くと思うけど」

夫にとっても、信じられない幸福なのだろう。

これ以上の贅沢は何もいらない。もう、何も欲しくはない——。


秋田が姿を見せてから一週間目の夜、房子は最後の粥《かゆ》を炊いた。米の半ばは、ベランダで鳩と雀にあげた。

「ごちそうさまでした。ああ、やっとおしまいね」

力の残っているうちにと思い、念入りに部屋の掃除をした。

柱の傷。壁のしみ。それらが徽《しる》された理由を、房子はひとつひとつ思い出した。

電話が鳴った。平静を装って受話器を取る。孫娘の明るい声が飛びこんできた。

「ハロー、おばあちゃん。お元気ですか」

「はいはい、元気ですよ。そちらは?」

「ただいま朝の七時です。パパはもう会社に行きました。ママがね、たまにはおばあちゃんに電話しなさいって言うから——ねえ、おばあちゃん。五月には本当に来るんでしょう」

「行きますよ。どうして?」

「パパがね、おばあちゃん、気が変わるんじゃないかって心配してる」

送られてきた写真の、芝生に囲まれた白い家が瞼にうかんだ。

「パスポート、もう取ったんでしょう?」

「はいよ。パパは有楽町の交通会館、って言ってたけどね、立川にも事務所があったから」

苦い嘘に、房子は話しながら顔をしかめた。旅券事務所には行きかけたのだが、結局立川のデパートで買物をして帰ってきてしまった。去年の暮のことだ。

正月に秀樹が帰国したら何と言いわけをしようと思ったが、幸か不幸か仕事の都合で、帰ってはこなかった。

「団地の手続は、五月に迎えに行ったときパパとママがやるからって。今のうちからいらない物は捨てなきゃだめよ」

「はいはい。もう切りなさい、電話代、高くつくわ」

「ママに、かわろうか?」

「いいよ。よろしく言っておいて。じゃあね」

房子は勝手に受話器を置いた。もしかしたら最後の電話になるかもしれないのに、気の利いた別れの言葉を言えぬことが辛《つら》かった。

もう金輪際、電話が鳴っても出るのはよそうと思った。どうせあと一週間か十日。

そんなものだろう。

「木暮さんのお宅ですね――こちら武蔵野日赤救命救急センターですが、先ほどご主人様が――」

寒い冬の日だった。病院に駆けつけたとき、夫はすでに事切れてしまっていた。

医師の説明によれば死因は脳内出血で、日ごろから常用していた狭心症治療の薬が仇《あだ》になって、手の施しようがなかったという。血液の凝固を抑制する薬が大出血を招き、致命傷となってしまった。

倒れた碁会所でも、救急車の中でも夫は、「家に帰る」とうわごとに言い続けていたそうだ。

夫は持家を建てることも、マンションを買うことも考えてはいなかった。外国に行ってしまったままの子供らの未来が見えなかったせいもあるが、何よりも団地の小さな三ＤＫは、夫婦二人ぐらしには都合の良いサイズだった。

そのころには、団地は似たような老夫婦ばかりになっていた。大方は四十年前の入居開始の日曜、一斉に引越してきた夫婦たちだった。

彼らはみな、判で捺したように子供らを育て、団地から送り出し、つつましく、しかも悠々と老いて行った。

ただひとつだけ、房子が彼らとちがうところといえば――つれあいに死なれてからも、子供らの世話になろうとはしないことだった。

もともと気丈な性格ではない。自由を望んだわけでもなかった。様変わりした外界と比べれば、階段は玩具《がんぐ》のように小さく、天井も低く、まるでガリバー旅行記の物語に迷いこんだような団地の部屋だけれども、あの日に感じた幸福は、房子のうちに少しもそこなわれてはいなかった。

月明りの枕元に、夫が座っている。

いつの間に帰ってきたのだろう。古ぼけた細身のネクタイをきちんと締めて、黒ぶちの眼鏡が夕日に染まっている。

「やっと来てくれたのね。遅かったじゃないの」

夫は窓を少し開けて、夕映えの団地を見渡した。

「やあ、桜が満開だ。見てごらん、房子」

夫に扶《たす》けられて、房子は窓辺に這《は》い寄った。手の届くほどのところに、満開の桜が花を吹きちらしていた。

「いつの間にか、こんなに大きくなったんだね。ベランダの真下まで、枝が」

「私たち、ひとり占めよ。なんて贅沢なお花見でしょう」

夫の膝《ひざ》は温かかった。乱れた白髪を、細い節張った指先が、いたわるようにくしけずってくれた。

「もういいだろう、房子」

「もうたくさん。あなた、なかなか来てくれないから、くたびれちゃった」

夫は子守唄のように、古い軍歌を口ずさんだ。

「俺は、特攻隊を志願して――」

夫は少し言いためらった。そんな話は初耳だ。おたがいの生きてきた道をあえて訊《き》かぬことが、あのころの恋人たちの礼儀だった。

「へえ、そうだったの。知らなかったわ」

「だから、おまえを初めて抱いたとき、もう死んでもいいと思った」

「あらあら、……本当、それ」

「死人が嘘を言っても始まらん。生きているうちは、見栄《みえ》を張ったり、ときには嘘もついたりしなければならんがね」

「私もずいぶん嘘をついたわ」

夕日に隈取《くまど》られた夫の顔はやさしかった。

「東中野の下宿に住んでいたときも、俺は幸せだった」

「そうだったわねえ。家具屋の二階」

「初台の六畳間に引越したときは、こんな贅沢をしたらバチが当たると思ったよ」

「そうね。私もそう思った」

「だから、ここに来たときは――」

夫は言いかけて声を詰まらせた。

こんな会話は誰ともできなかったと、房子は思った。若い人からすれば、ただの負け惜しみだろう。

「すまなかったな。俺がこんなふうに納得しちまったばかりに、おまえにも同じ暮らししかさせてやれなかった」

「そうじゃないよ、おとうさん」

言うに尽くせぬ言葉のかわりに、房子は枕の下から写真を取り出した。

「これが、秀樹の家。こっちがね、美智子とピエールの家。二人とも、私に来てくれって。ピエールなんか、フランス語で泣いてくれたのよ。一緒に暮らして下さい、って」

「行けば良かったじゃないか」

「ばか」

と、房子は夫の膝の上で、少女のようにすねた。

「そんなこと、できるわけないじゃないの」

住人たちは、どうしてこの団地を捨ててしまったのだろうと、房子は静まり返った向かいの棟を見つめながら思った。

いったいそこにいた人たちは、何を捨て、何を求めて、出て行ってしまったのだろう。房子にはふしぎでならなかった。

ビルの谷間に夕日が沈む。富士山の青いシルエットが茜色《あかねいろ》の空に貼《は》り付けられていた。

「どうだった」

「何が？」

「ここの暮らしさ」

「そりゃあ、幸せだったわよ。もう、こわいぐらい」

眼下に盛り上がった桜の花影に、中央公園が見え隠れしている。

子供たちの歓声を、房子は耳の奥でたしかに聴いた。

「日が昏れるわ。子供たち、迎えに行かなくちゃ」

「そうだな。じゃあ、一緒に行こうか」

夫の差し出した掌を握りしめて、房子は軽々と立ち上がった。

足元から花が巻き上がった。

団地のなかぞらにふわりと浮き上がったとき、房子は住み慣れた部屋を振り返って、ひとこと、「さよなら。ありがとう」と言った。

迷惑な死体

落ちつけ。落ちつけ、良次《りょうじ》。

まず受話器を置くんだ。そう——それでいい。とりあえず深呼吸をしろ。

電話はダメだぞ。誰にかけようとしたんだ。澄子《すみこ》か？　勝《かつ》兄ィの携帯か？　一一〇番？　まさかな。

ともかく、電話はダメだ。熱いコーヒーでも淹《い》れて、タバコを喫《す》え。

落ちついて、よおっく考えてみろ。いいか、目の前にいるのがいったい誰か、何でこんなことになっちまったのか、はっきりとわかるまでは、一歩も部屋から出るなよ。

落ちつけ。落ちつけ、良次——。

自分で自分を励ましながら、加藤《かとう》良次はようよう台所まで這《は》って行った。

すっかり腰が抜けてしまった。流しに肘《ひじ》をかけて立ち上がり、手鍋に湯を沸かす。インスタント・コーヒーにしこたま砂糖を入れ、慄《ふる》える手で湯を注いだ。

振り返る勇気はない。台所の北向きの曇りガラスを見つめながらタバコをくわえ、フィルター に火をつけて流しに投げ捨てた。

ぐっしょりと汗ばんだ掌にカップを抱いてコーヒーをすする。せわしなくタバコを吹かすうちに、少し心が落ちついた。

落ちつけ、よおっく考えてみろ、と良次はもういちど自分を励ました。

幻覚?——いや、それはないと思う。勝兄ィに夜詰めで説教されて以来、覚醒剤《シャブ》はぷっつりとやめた。あれから半年以上はたつ。おとついパクられて小便をとられたときも、反応は出なかった。今さら幻覚など見るはずはない。

だとすると、あれは何だ。

良次はおそるおそる部屋を振り返って、もういちど腰を抜かした。

落ちつけ。落ちつけって。

勇気を奮《ふる》い起こして、良次は見知らぬ男の死体ににじり寄った。散らかった六畳間の万年床の上に、男は大の字に仰向いて死んでいた。

「おまえ、誰なんだよォ。何とか言ってくれよォ。何だって俺の部屋で死んでるんだよォ」

男は答えてはくれない。あたりまえだ。背広のどてっぱらに、穴があいている。

ワイシャツの胸のあたりまでを、乾いた血が真ッ黒に染めていた。畳の上に血痕《けっこん》はない。だとすると、こいつはここでくたばったわけではなく、どこかで殺されて血が出きっちまったあと、誰かの手で運ばれてきたことになる。

良次は少しずつ、考える余裕を取り戻した。

おとつい、事務所に家宅捜査《ガサ》が入った。顔なじみの四係《マルボウ》の刑事《デカ》が玄関先で読み上げた令状《フダ》によると、駅前に新しく開店した飲み屋でミカジメ料を脅し取ったとかどうとかで、要するに恐喝だ。

そんなものは別件容疑に決まっている。年に一度や二度は何やかやと因縁をつけて事務所にガサをいれ、当番の若い者をしょっぴいて行く。きょうび事務所にヤバい物を置いておくようなまぬけはいないが、折良く駆け出しの若い者をしょっぴいて締め上げれば、何か重大な事件《ヤマ》を吐かせるか、情報《ネタ》を仕入れることはできる。

真夜中にそれらしい「まちがい電話」があったので、良次は暴走族《ゾク》あがりの少年を外に逃がして、打ち込みを待っていた。

案の定、ドアを叩かれてロックをはずしたとたん、顔なじみの刑事は良次をひとめ見て、うんざりとした。

「おめえひとりか」

「はい。どうも、ご苦労さんです」

まったくご苦労さんだ。まちがい電話の受話器を取ったのは、ちょいと締めればひとたまりもない駆け出しだった。それっ、今だ、と打ち込んだところが、事務所にいたのは流儀をわきまえている良次ひとりきりだった、というわけだ。

例によって捜査を妨害したのどうのということになって――若い巡査がポケットに手を入れようとしたから払いのけただけなのだけれど――めでたく公務執行妨害の現行犯でパクられた。

刑事は手錠《ワッパ》を打ちながら、「おめえじゃ役に立たねえけどよ」とボヤいた。

それから四十八時間、留置場に入れられ、何回か呼び出されて取調べを受けた。もっとも取調《しらべ》と言ったって、公務執行妨害の調書など五分でできてしまうから、あとは世間話だ。

「良次、せっかくなんだから弁当置いていけ」

「みやげなんかないスよ、旦那。俺、オヤジにも勝兄ィにも信用されてねえから」

なかば本当である。ひょんなことから勝兄ィに拾われて三年になるが、仕事と言えば電話番とミカジメの集金ぐらいのもので、運転免許も取らせてはもらえない。慰安旅行も留守番だった。

「おめえ、いくつになった」

「二十四です。旦那は？」

コツンとボールペンの尻で良次の額を叩いて、刑事は言った。

「なにもヤクザ者に説教たれようってわけじゃねえがよ。おめえ、足洗うんなら今のうちだぜ。勝の野郎だっておめえにタダ飯食わせてるわけじゃねえんだから、そろそろ事件《ヤマ》踏まされっぞ。一年でも二年でも懲役行ったらおめえ、抜けようにも抜けられねえぞ」

「へえ……わかってます。けど、俺バカだからね。運転免許もねえし、ぶきっちょだし」

「だから、足洗えって言ってんだ。バカなカタギは何とでもなるけど、バカなヤクザはどうにもならねえ。勝をみてみろ。兄ィと呼ばれるのにゃな、あいつみてえにちゃんと大学を出て、インターネットでタウン情報を集めるようじゃなけりゃ。そういう時代だぜ」

「……へい。そういうのも、わかってるんだけどね」

いつもならば別荘気分の留置場なのだが、良次にはどうとも気になることがあった。アパートに勝兄ィから預かった拳銃《チャカ》を隠していた。去年の残り物の覚醒剤も、ほんの三パケだけれど捨てるに捨てきれず、冷蔵庫にしまってある。

所轄署からアパートまでは歩いてものの十分だから、ついでにガサを入れられやしないかと、良次は二日のあいだ気が気ではなかった。

だから、いつものように女房気取りで身柄引受《ガラウケ》に来てくれた澄子を喫茶店におっぽらかして、アパートに駆け戻った。

鍵はたしかに閉まっていた。変わった様子も何もなかった。

ただ、万年床の上に、見知らぬ男の死体が置かれていただけだ。

突然、電話が鳴って良次はひゃあと悲鳴を上げた。

気を取り直して受話器を摑《つか》んだ。

〈良ちゃん？……〉

澄子の切ない声がした。

〈なんで勝手に帰っちゃうの。私、まだいるのよ〉

「え？　……あ、ああ。悪い悪い。タバコ買いに行ったら、急に用事を思い出しちゃって。探し物してるんだ」

〈戻ってくるの？〉

「いや。ええと、これから勝兄ィがこっちに来るっていうから、ごめんな」

〈じゃあ、私もそっちに行く〉

「待てっ！　切るな、澄子」

〈……誰か、いるのね。お部屋に〉

良次は迷惑な死体を振り返った。

〈誰よ。誰がいるのよ。このあいだ地下街を歩いてた人？〉

一週間ほど前、新入りの中国女に服を見立ててやれと、勝兄ィに言いつかった。そのとき地下鉄の改札で、バッタリ会社帰りの澄子に出くわしてしまったのだ。

「ちがうって。そうじゃないって。まあ、誰かいるっていやァ……いるにはいるんだけど」

〈良ちゃん――〉

と、澄子は受話器の向こうで洟《はな》をすすった。

〈きのうね、良ちゃんのおばちゃんから電話があったの〉

「おふくろから？」

〈うん。電話が通じないけど、良次のやつ元気でやってるかって〉

「そ、それで何て言ったんだよ。まさかパクられてますとか――」

〈そんなこと言うはずないじゃないの。ラーメン屋さんが忙しくって、手が足らないからねって、ちゃんと言っといた〉

「ふんふん。サンキュー、ありがとう」

〈あのね、おばちゃんが言うには、こんど西の山にスキー場ができるんだって。スノーボード専用とかいう。それで、そこのゲレンデでラーメン屋やれって。私と一緒に〉

「へえ。でも俺、ラーメンなんか作れねえよ。ぶきっちょだから、店でも出前しかやらせてもらえなかったし」

〈だからさ〉と、澄子は言いかけてグズグズと泣いた。

〈だからさ、良ちゃんがそうするって決めてくれれば、私、すぐに会社やめてラーメン屋さんに行く。就職したときからずっと通ってるお店が会社の近くにあるの。事情を言えば、きっと教えてくれると思う〉

「……あのなあ、スミコ。世の中そんな甘かないぜ」

〈わかってる。でもこれって、私と良ちゃんにとって、最後のチャンスだと思うの〉

「店出す金、どうすんだよ」

〈そのくらいならある。プレハブ建てるくらいなら〉

「いつも、金なんかねえねえって言ってるくせに」

〈良ちゃんが遊ぶお金はないけどね。二人して何とか生きてくお金は、とってあります。ごめんね、おこる？〉

　良次はしんみりとした気持になった。しんしんと雪の降り積もるふるさとの雑木山が、目にうかんだ。

〈だから、良ちゃんとお話ししたいの。これから行っていい？〉

「だーめっ！　ぜったいダメッ！」

〈女の人、帰してよ。浮気してる場合じゃないでしょう。一生のことよ〉

「女じゃねえってば。男だよ、よく知らないやつだけど。人の留守中にのこのこ上がりこんでやがってさ——オオイッ、いいかげん帰れ。くそ、起きやしねえ」

〈寝てるの？　変な人ねえ。起こして帰ってもらったら？〉

「はいはい。コラッ、起きろ！　殴るぞ」

〈かわってよ。私がお説教してあげる〉

「いいよいいよ。よっぽど疲れてるんだろ。悪いけど、あとで部屋に電話すっから。ごめんな、ほんと女なんかじゃないから——」

澄子は電話の向こうでウンと肯《うなず》き、愛の言葉をひとこと囁《ささや》いて受話器を置いた。

少し元気が出た。

「おい……てめえ、誰なんだよ。なんで俺の部屋で死んでるんだよ。おいコラ、何とか言え」

思わず揺り起こそうとして、良次は死体の氷のような冷たさにおののいた。

齢《とし》のころなら三十くらいだろうか。カタギの背広にネクタイを締め、クリーム色のトレンチ・コートを着ている。裏地は乾いた血で真ッ黒だ。

良次はようやく思いついて玄関の錠を下ろし、カーテンを閉めた。

たそがれどきである。灯りをつけると、死体はいっそう死体らしく見えた。

とりあえず、かねてから懸案であったチャカとシャブを確かめる。どちらもからっぽの冷蔵庫の中に、きちんとしまわれていた。何ら異常はない。いつに変わらぬ部屋の中に、死体だけが置かれているということが、かえって異常に感じられた。

死体はまぬけな顔をしていた。べつに無念そうではなく、苦しげでもない。目をくわっと見開き、大口をあけ、要するにびっくりしたツラだ。

「出合いがしらに、ズドンか。ひでえよなあ」

良次はためらいがちに手を延ばし、死体の瞼《まぶた》をおろしてやった。

「なんまんだぶ。どこの誰だか知らねえけど、成仏して下さい。俺、関係ないからね」

めくれ上がった背広の裏に、「村野」とネームが入っていた。

「村野《むらの》ねえ……村野、村野。知らねえんだよなあ……」

顔にも覚えがない。見ようによってはヤクザだが、この町の者なら顔ぐらいは知っているはずだ。後発の組の特攻隊だろうか。代紋ちがいと混み入って、よそから来た援軍が返り討ち——だが、そんな揉めごとは聞いていない。第一、ちょっとやそっとゴタゴタしたところで、オヤジも勝兄ィも人殺しをするようなヘマはしない。二人ともこの町では、警察から表彰されたっていいくらいの優等生だ。

うちの組が関係ないとすると——。

良次はよけい怖くなった。じゃあ、いったい誰がこんなことをしたんだ。何で俺の部屋に死体があるんだ。

ともかく、こいつのことをもっと良く知らねばならない、と良次は思った。

身体捜検。何だか刑事になった気分だ。

内ポケットから札入れが出てきた。十枚をズクで束《たば》ねた一万円札が五束。金のしまい方で、素姓は知れた。こいつはカタギではない。

「とりあえず、迷惑料ってことで、いただいときます。ども」

一束だけをもらって、残りは元に戻した。

コートのポケットから携帯電話が出てきた。あまり見かけない機種だ。

「関西セルラー……?」

ゾクッとしたとたん、けたたましく呼出音が鳴った。ふだんの条件反射でとっさに「もしもし」と受けてしまってから、シマッタと思った。

感度が悪い。悪いなりにおどろおどろしい声が耳に飛びこんだ。

〈何がモシモシじゃい！　おんどれ、電話の一本もできんようになっとるんか、あ？　コラ、何とか言え、村野。カシラはな、おんどれが殺《と》られてもうたんやないかって、戦争の準備しとんやど。どうなっとんのや、いったい〉

「いや……べつに」

膝頭が慄えた。「関西セルラー」ではない。「関西」だ。

〈ま、何ともないならええ。カシラに言って、とりあえずスクランブルは解除するよってな。ところで、おんどれ東京で何しとるんじゃい。女か？〉

「いえ……そうじゃないス。ええと、ちょっとね……」

〈チョットネ？　――気色悪い言い方すな。何や様子がおかしいな……おい、村野。おんどれまさか、極竜の連中にさらわれとるんとちゃうやろな〉

「ちゃう、ちゃう」

〈……声も何やおかしな……村野。ええか、よおっく聞け。話が混み入ってるのやったら咳払《せきばら》いをせえ。兵隊まとめて、すぐに行くで。そやないんやったら、ハハハと笑え。どうぞ〉

良次は泣きながら、ハハハと笑った。

〈そうかあ。なら、ヤボなことは聞かんでおこう。カシラに詫びの電話入れとけ。心配してるさけな〉

無理に笑ったとたん、涙が咽《のど》にからみついて咳が出てしまった。

〈何じゃい、村野！　どっちなんじゃ、ハハハか咳か！〉

咳が止まらなかった。

〈よおっしゃあ！　わしも話がうますぎる思うてたんじゃい。極竜のくされ外道《げどう》が、なめくさったまねしよってからに。村野、二時間辛抱せいやっ。鉄砲玉かて、べつに死なあかんいうことはないさけな。先に浜松の兄弟を飛ばすからな、夜にゃわしとカシラとが乗りこんで、キッチリ決着《おとしまえ》つけたるさけ、ええか。辛抱せえや！〉

電話は、ブツリと切れた。

たいへんなことになってしまった。関西が来る。

だが待てよ――と、良次は電話機を放り捨てたあとで考えた。これから来るって、いってえどこに来るんだ。極竜、とか言っていたな。極竜会といえば……。

良次はハッと思い当たった。巨大組織極竜会の末端《エダ》のそのまた末端の事務所のチンピラを、ひとり知っている。駅前でトルエンの密売《バイ》をしている、清水《しみず》だ。

いつだったか、シャブを回してもらうかわりに、宿《ヤサ》を貸したことがあった。女としけこむホテル代がねえと言うから、自分は澄子のアパートへ行き、一晩鍵を預けた。

「ヤロウッ、なめたまねしやがって！」

受話器を手にして、良次は考え直した。

清水みてえなチンピラが、関西の鉄砲玉をブチ殺すはずがない。つまり、清水は死体の始末を命じられて右往左往したあげく、いつでも女としけこめるようにコピーしておいた部屋の鍵に気付き――だとすると、極竜の事務所に電話を入れても、ラチはあかない。むしろ話がややこしくなる。

清水はよっぽど困り果てたのだろう。

この際、駅前に行って清水をとっつかまえるしかあるめえと腰を上げたとき、廊下を革靴の足音が近付いてきた。

やばい。グッチの踵《かかと》に鋲《びょう》を打ったあの音は、勝兄ィだ。

良次はとっさに死体を抱き起こし、トイレに押しこんだ。

「良次ィ！　いるかァ」

「ハ、ハイ。ちょっと待って下さい」

ドアを開けると、バーバリィのトレンチ・コートにアイスバーグのマフラーを巻き、髪をベッタリとリーゼントに決めた勝兄ィが立っていた。いつもながら、いいセンスだ。

「ごくろうさんです！」

「おお。差し入れにも行けなくってすまねえな。ちょいと入るぜ」

「ハイ。でも、カシラ。うちトイレがこわれてます」

「トイレ？　――べつにトイレを借りにきたわけじゃねえよ」

　勝兄ィは良次を押しのけるようにして上がりこんだ。

「相変わらずぶっちらかってやがるな。女はこねえんか。ほら、あの何てったっけ、幼なじみのＯＬ」

「スミコ、ですか。ああ、あいつ、ここにはあんまりこないんです」

「ふうん。ヤクザは嫌いか。あたりめえだけどな。そう言や、正月だったか、おめえをガラウケに行ったその足で、事務所に乗りこんできたっけ。えれえ剣幕でよ。良ちゃん、やめさして下さい、って。けっこういい女じゃないの――ところで、ここにこねえんなら、おまえらどこでオメコしてるの？」

「オ、メ……はあ、そういうのはあんまりしないんですけど」

「ぜんぜん？　まるきし？」

「いえ。たまに」

「どこで？」

「あいつのアパート。月に一度か二度。でも、まとめて三発ぐらいやります」

「回数はいい。そうかよ。なるほどしっかり者だなあ。ヤクザの事務所に乗りこむほどおめえに惚《ほ》れてるってのに、月に一度か二度ねえ。ふん、そうかあ」

しみじみと溜息をつきながら、勝兄ィはフト考え深い顔をした。

「良次。ちょいと頼みがある」

良次はひやりとした。何か厄介な仕事を言い出さなきゃいいが。

「実はな良次、いま急に——」

「き、きゅうに、何か？」

「クソがしたくなった。トイレ貸せや」

良次はトイレの前に立ちはだかった。

「だめだって、カシラ。こわれてるって言ったじゃないスか」

「どけ。どけったらどけっ！　あっ、つっ……いけねえ。もう、たまらねえ」

「だめです。水は流れねえし、紙はねえし、おまけにクソは山盛りで。じゃ、隣りのオカマに頼みます。そうしましょ、ね、カシラ」

「オカマ？　……ああ、〈青の時代〉のミチルちゃんね。もういい。おさまった」

いかにもせっかちな勝兄ィらしい。ケロリとして屈み腰を伸ばすと、勝兄ィはリーゼントに櫛《くし》を入れた。ダイヤ巻きのロレックスがまばゆい。

「ところで、きょうは何か御用で？」

「あ、そうだ。なあに、用って用じゃねえんだが。はい、これ」

と、勝兄ィはズシリと重い封筒を良次に手渡した。

「あ、ども」

「おまえも今年は二度目だからよ。だいぶシメられたろうからって、オヤジが」

「大したことなかったスけど」

「そりゃ何よりじゃねえか。いや、今度は起訴されて、勾留《こうりゅう》つけられるんじゃねえかと思ったんだけどな。近ごろパクられたやつら、みんなそうだろ。ブタバコの中、賑《にぎ》やかだったんじゃねえか？」

そう言えば留置場は見知った顔でごった返していた。

勝兄ィは気ぜわしく靴をはいて、タバコを一本くわえた。サッと火を向ける。勝兄ィは良次の耳元に煙を吐きながら囁いた。

「あのな、ここだけの話だけどよ。どうしてサツがやたらとパクッてるか、教えてやる。どうやら関西と極竜がよ、いよいよ戦争おっぱじめるらしいんだ」

「それ……ほんとですか」

良次は愕《おどろ》くよりも、スッと気が遠くなった。

「ああ。鉄砲玉ももう送りこんだって噂でよ。ひともめありゃ、今までのうらみつらみがドッと出て、たちまち全面戦争だあな。くわばらくわばら」

「ひともめ、って？　たとえば？」

「そりゃ決まってらあな。いいか、関西の手口ってのはよ、殺され役の鉄砲玉を飛ばして、無理難題をふっかけるのよ。そこでめでたくそいつが殺《と》られりゃ、弔《とむら》い合戦ってわけだ」

「殺され役、ですか……」

「そう。大借金抱えてるやつとか、懲役ボケのとか、ヘタ売ってどのみち肚《はら》くくってるようなやつ。気の毒なもんさ——そうそう、おめえに預けてあったハジキ、もらってく」

良次は冷蔵庫を開けて、冷え切った拳銃と実弾の入った小箱を勝兄ィに渡した。

「おお、つめてえ。ひいの、ふうの、み……」

慣れた手つきでリボルバーの弾倉に実弾をこめながら、勝兄ィはふいに真面目な声で言った。

「良次。おまえ、足洗え」

「え？　——」

勝兄ィは良次の顔を見ようとはしなかった。

「ドンパチが始まりゃ、うちだって知らん顔はできねえ。ふりかかる火の粉ぐれえは、払わにゃならねえだろ。だったら、今しかねえよ」

「カシラ……」

火の粉はもうふりかかっちまってるんだと、良次は言おうとした。

「オヤジには、俺から言っておく。他の誰にも、挨拶《あいさつ》なんぞいらねえ。その金ァ、追い銭だと思え」

「あの、カシラ……実は」

「実はもウチワもあるか。あの女と国へ帰って、ラーメン屋でもやれ。その銭だって、田舎で暮らす分にゃ何かのたしになるべい。じゃあな」

勝兄ィは拳銃をベルトの腰に差しこむと、グッチの踵をかつかつと音立てて去って行った。

「カシラ、あの、その、実は死体――」

「そんなに極道がしたいのなら、田舎でやれ。したいしたいって言やあ、盃ぐれえくれるだろ」

「そうじゃねえんだ、そうじゃ――」

「あーばーよーっ、達者で暮らせ」

勝兄ィは行ってしまった。自分の不甲斐《ふがい》なさに、良次はしばらくの間、上がりかまちに膝を抱えて泣いた。

――いけねえ。泣いてる場合じゃねえんだ。死体を、何とかせにゃ。

トイレを開けると、死体がぐにゃりと転がり出た。目はつむっているが、相変わらず出合いがしらの驚愕《きょうがく》そのままの、大口を開いたまぬけなツラだ。

元通りに万年床まで曳《ひ》いて行く。

「おめえも、哀れなやつだなあ。借金があるんか。何かヘタ踏んだんか。それとも懲役ボケか。殺されるために新幹線に乗ってやってきたんか」

こいつはいったいどんな気持で、殺されるためにやってきたのだろう。たったひとりで極竜の事務所に乗りこんで、どんなふうに文句《アヤ》をつけたのだろう。

家族はいるのだろうか、と良次は思った。

カーテンのすきまからネオンがさし入って、死体の頬を赤く染めた。

おまえは？　と死体が訊《き》いたような気がした。

「俺か？　……俺は、おふくろが国にいる。兄貴がいたんだけど、ダンプカーに轢《ひ》かれて死んだんだ。トラクターが国道でひっくり返されちまってさ……あと、女はいるけど」

澄子が事務所に行って談判をしたことなど、良次は知らなかった。

ええなあ、ええ女やなあ、と死体が言ったように思えた。

「ああ。いい女だよ。俺もそう思う。あいつな、中学も高校もずっと一番で、東京に出てきてからも、働きながら夜間の大学出たんだ。それで、でっけえ会社のＯＬになってさ。けっこう可愛《かわい》いし、男になんか不自由しねえと思うんだよ。だから俺、ヤクザやめろって言われても、やめて一緒になろうって言われても、ほんと困るんだよ。あの、村野さん、って言ったっけ。ここだけの話、きいてくれますか」

死体がこっくりと肯いたような気がした。誰にも話したことのない思いのたけを、良次はとつとつと口にした。

「あいつ、彼氏がいたんだ。俺ね、あいつの部屋で日記のぞいちまったから。平井《ひらい》君っていう、一橋大学出のエリート。写真も鏡台のひきだしに入ってた。背が一メートル八十ぐらいあって、映画俳優みてえな顔してやんの。ラブレターもあったよ。俺ね、二年前に初めてパクられたとき、身柄引受人《ガラウケ》がいねえと釈放《パイ》しねえって言われて、あいつのアパートの電話、勝手にしゃべっちまったんだ。カタギの知り合いって、他にいなかったから。あいつ、来てくれたよ。良ちゃん、どうしたの、ラーメン屋さんやめちゃったのって、刑事室《デカベヤ》で泣いてくれたんだ。でも俺――その晩あいつにひでえことをした。俺のこと惚れてるんだって思ったから。そんなはずねえよな。俺、あいつにひでえことしちまった」


なすすべもなく、良次は死体の枕元でずっと膝を抱えていた。

涙も涸《か》れたころ、突然ドアがノックされた。

「だだ、だ、だれだ!」

死体に蒲団をかぶせて、良次は怒鳴った。少しためらいがちに、廊下でくぐもった声がした。

「あたす。あけて、良ちゃん」

「げっ、おふくろ……な、なんだよ。なんだってんだよ、急に」

「はあ。誰かいるんかいね。いえね、スミちゃんから聞いたろうけど、スキー場のラーメン屋のこと」

「な、なんでそんなことで、おふくろがいきなり出てくるの」

「ともかく、開けてよ。農協がね、やるのかやらんのかって。やるんならば今月が利息のサービス月間だから、きょうにも明日にもハンコつかねば、大損こくぞって言うもんでさ」

「くそ、何もそんなことで……よりにもよってこんなときに」

「コラ、開けんか良次。おまえまさか、スミちゃんの目を盗んで、よその女を――」

もうどうにでもなれと、良次は玄関の錠をはずした。いかにも雪の中からやってきた風体で、疲れ切ったおふくろが立っていた。カンジキをはいていないのがふしぎなくらいだ。

「女なんかじゃねえよ。酔っ払いが寝てる」

「ありゃ、そう。起こして帰ってもらわねば、わたすが泊れんね」

「よせって、よく眠ってるんだから」

「まかせとけ。酔っ払いはおまえの父親で慣れてる」

止める間もなくおふくろは良次の脇をすり抜けて上がりこんだ。

「やめ、やめろ、おふくろ」

「まかせとけって。にいさん、こら、にいさん。起きんさい――はあ、ほんによく寝てるねえ。大口あけて、よっぽど疲れてるんだべ」

「やめて下さい、おかあさん」

と、良次は母親と死体の間に割って入った。

おふくろは裸電球の下にぺたりと座りこむと、汚れた手拭《てぬぐい》をポケットから出して洟《はな》をかんだ。

「なして、泣くの」

「うんうん。この人、きっとラーメン屋の仲間だんべ。東京のラーメン屋は夜も昼もなくって、一日じゅう働かねばならないって、このあいだテレビでやってたでね。それを思い出したの。おまえも、こんなふうにひどい苦労をしてるんだと思ったら、何だか悲しくなっちゃって」

「苦労なんか、してねえよ……」

「だってさ、飲んだくれの父親に早く死なれて、おにいちゃんもあんなことになっちゃってさ。なしておまえまでこんな苦労をしなけりゃならんのかって。汽車の中でもずっと、おまえの苦労ばっかり考えてきたから」

しばらく見ぬ間に、おふくろは小さくなった。くたびれたコートと安物の襟巻が、まるで鎧《よろい》のように重そうだ。

おふくろはもう一度、死体の顔を覗《のぞ》きこんだ。

「こんなに痩《や》せちまって。顔色もまっさおでないの。苦労してるんだべなあ。まだおまえの方がいくらかましだわ。なあ、良次。おまえもこんなふうになる前に、スミちゃんと所帯持てな、そうして下さい、この通り」

おふくろは良次を振り返って、畳の上に手をついた。

「やめろよ、おっかあ。親が子供に手をつくなんて」

おふくろの小さな姿が窓辺のネオンに縁取られた。もしかしたらおふくろは、農協や役場を駆け回って、こんなことをしてくれたのではないかと良次は思った。

「おまえに、こうまでするには、わけがある」

と、おふくろは俯《うつむ》いたまま、しわだらけの掌の甲に涙をこぼした。

「スミちゃんが、正月に帰ったとき、うちにきてこうして手をついてくれたの。おばちゃん、私、会社やめて良ちゃんと一緒になるから、おばちゃんも応援してって。ふつつかな女だけど、お嫁にして下さいってさ。有難くって、涙が出たよお。どこのうちでも嫁こさこなくって大変なのに、あんな東京の大学さ出ためんこい娘が、うちの嫁こに来てくれるって。夢のようだもの」

「……あいつ、何か言ってたか。俺のこと」

「うん。東京のラーメン屋は、こき使われるばっかで、店なんか持たせてくれんって。それでね、考えたんだけど、うちも西の山の畑を開発会社に売ったからね、少しは無理もきくべって思ってさ」

　頭の中が、まるでラーメン屋のスープ鍋のようになって、良次は何も考えられなくなった。きょうはいったい、何という日なのだろう。

「スミちゃん、アパートにおるかねえ」

「いると思うよ。さっき喫茶店で会ってたんだ」

　ドライフラワーとパッチワークのキルトでいっぱいになった小さな部屋に、ぼんやりと座っている澄子の姿が胸にうかんだ。

別れるとき、いつも言ってくれる愛の言葉を、本当に信じてもいいのだろうかと良次は思った。

「だったらおまえ、これからスミちゃんのとこ、行こうよ。積もる話もあるし、それに――この人ももう一晩くらい寝かしといてあげなきゃ」

おふくろは気の毒そうに死体を見下ろした。

「そうすっか……」

思考停止のまま、良次はおふくろと部屋を出た。灯りを消してドアを閉めるとき、祈る気持で死体に語りかけた。

「おやすみ、村野さん。今晩は女のとこへ泊るから、そっちも目が覚めたら、帰ってくれよ。頼んだぜ」

寒い晩だった。

ネオンの照り上がる夜空には、造りもののような星がまたたいていた。

「こんどのスキー場は、東京の開発会社の資本が入ってるしね、客はいっぺえ来るから、商売はまちがいねえって。ひと冬様子みたら、うちも借金して民宿でもやるべかって思ってるんだよ。わたすと良次とスミちゃんがいれば、何とかなるべ」

「そうかあ。そんなに甘かねえと思うけどなあ……」

路地の先にワゴン車が止まっていた。

運転台から男が降りた。極竜会の清水だ。

「あのヤロウ――」

「どうしたの。知り合いかい」

「え、いや。あんなところに車止めやがって。迷惑じゃねえか」

「やめときな。ヤクザかもしれないよ」

清水はタバコをくわえたまま、そらとぼけて星を見上げている。おふくろの肩を抱き寄せて、良次はゆっくりと清水をやり過ごした。

「きょうは、スミコのとこに泊めてもらおうぜ。じきにあの飲んだくれも、目を覚まして帰るだろうし」

「そうだねえ。そうしようか」

清水は咳払いをした。すまねえ良次、と詫びているつもりか、いずれにせよセリフの意味はわかってくれただろう。

路地を折れるとき、若い者をせかせる清水の声と、ワゴン車のリヤ・ゲートの開く音が聴こえた。

「なあ、おふくろ」

歩きながら、良次はおそらく母にしかわからぬことを訊いた。

「おふくろは、おやじが飲んだくれだから一緒になったんか」

「へえ……妙なこと言うねえ。なして？」

「だからさ、あんなおやじだったから、気の毒に思って嫁さ来たのか」

おふくろはまばゆげに星空を見上げて、少し考えるふうをした。

「そうじゃないよ。あたすは、おとさんに惚れてた」

「ほんとか、それ」

「ほんとだとも。今さら嘘言ったって始まらん」

「信じて、いいかな」

「信じるもなんも。女っていうのはね、おまえの考えるほどやさしくはないよ。嫁こさ来て苦労ばっかするると思ったら、まっぴらごめんさ」

良次は胸の高さしかないおふくろの頭を抱き寄せて、一日分の溜息をついた。

おふくろの髪は、ほのかに雪のにおいがした。

金の鎖

暖かな日が続いて、青山界隈の銀杏《いちょう》が黄色い葉を落とし始めたのは、秋も終わりのころだった。

春の桜と秋の落葉の数日だけ、東京もまんざらではないと、千香子《ちかこ》は思う。利欲にまみれた無秩序な都会の風景を、つかの間の自然が被い隠してくれる。

年末商戦が始まると、近在に密集するファッション・メーカーはどこも不夜城で、残業という言葉さえも虚しいものになる。仕事の合い間に、夜更けのドーナツ・ショップでコーヒーを飲みながら、いったいこんなあわただしい暮らしが何歳まで続くのだろうと、千香子は思った。

「チーフは、結婚しないって決めてらっしゃるんですか?」

若いデザイナーの寺山《てらやま》が、けだるそうに金髪をかき上げながら訊《たず》ねた。腕は確かだが、業界には珍しくないこの「異性に興味のない男」は、深夜の話し相手にはころあいだ。

「同じ質問を、君にもお返しするわ」

煙草を一服つけて、ネオン管のまたたくガラス窓を見る。二階のカウンター席は、黄色く色づいた街路樹の葉に被われていた。

「僕は、趣味の問題ですよ」

「だったら私も趣味の問題よ。結婚しないって決めているわけじゃないわ。私にふさわしい男が見つからないだけ」

「そう言っちゃ何ですけど、少々オーバー・プライスじゃないですか」

「はっきり言ってくれるじゃないの。つまり、そろそろバーゲンにかけて、マーク・ダウンしろってこと？」

「まあ、そんなところです。半額とは言わないけど、三十パーセント・オフぐらいにすれば、チーフならお早い者勝ちですよ。トップ・メーカーのエース・デザイナーで、とびきりの美人。四十は過ぎたけど」

こつんと寺山の金髪を叩いて、千香子は言い返した。

「言っとくけどね、ゲイが四十を過ぎたらバーゲンにもかけようがないわよ。君の場合、方法はただひとつ」

「ただひとつ？」

「もっといい仕事をして、日本から出ること。私のおめがねに適《かな》えば、パリやミラノのメーカーを紹介してやってもいいわ」

「はあ、その節はよろしく——そろそろ戻りますか。営業の連中、イライラして待ってますよ、きっと」

風が唸《うな》って、窓辺の銀杏の葉をいっせいに吹き散らした。真夜中の恋人たちが感嘆の声を上げる。

東京がパリよりも美しく装うこのわずかな季節に、なぜよりにもよってオカマの部下とコーヒーを飲まなければならないのだろうと、千香子は思った。

「行こう。きょうは一時で上がるわよ。何があっても」

トレイを持って椅子から下りたとき、千香子はホールの片隅にふしぎなものを見た。

「寺山君――」

「はい、何ですか」

とっさに寺山の名を呼んだのは、夢を見ているわけではないのだと、確かめたかったからだ。

「悪いけど、先に戻ってて」

「お知り合いですか？」

寺山の目も、奥のテーブルにぽつんと座る若者に向けられていた。トレイを寺山に押しつけて、千香子はとっさに言い繕《つくろ》った。

「親類の子。どうしてこんなところにいるんだろう」

「じゃあ、お先に」

寺山が階段を下りて行ってしまってから、千香子は元の席に戻った。夜の窓に向き合って、映りこむ店内の光景に目をこらす。黄色いスクリーンの奥深くに、ありありと若者の姿が浮かび上がった。

「ヒロちゃん――」

胸の中で呟き続けてきた名前が思わず声になって、千香子は唇を押さえた。

二十年前に別れた恋人が、昔とそっくり同じ姿で、そこにいる。ジーンズにスタジアム・ジャンパー。白い綿のソックスとローファーまで、あの日のままだ。

振り返ることができずに、千香子はコートの襟を立て、口と鼻を両手で被った。二十年もたってしまった自分の顔を見られたくはなかった。

若者は辞書を引きながら、レポートを書いていた。今はもうなくなってしまった青山通りの喫茶店で千香子を待っていた、そっくりそのままの姿だった。

胸の高鳴りを押さえながら、千香子はふと、さらに怖ろしい想像をした。もしここに、あの日の私が現れたらどうしよう。赤いダッフル・コートを着て、「ごめんね、ヒロちゃん」と息を荒げながらやってきたとしたら。

階段を駆け上がってくる足音に、千香子は息をつめ、きつく目を閉じた。

浩之《ひろゆき》を今も愛している。

あれからいくつもの恋はしたけれど、これは恋ではないと自分に言い聞かせていた。そしてひとつの恋が終わるたびに、やはり愛しているのは浩之だけなのだと思った。

もし浩之のことを口にできる男がひとりでもいたのなら、とたんにそれは美しい記憶になって昇天したと思う。だが、嫉妬深い恋人から過去を訊ねられても、告白する気にはなれなかった。恋の終わりには、決まって自分の方から男を斥《しりぞ》けた。

寺山の言った「オーバー・プライス」は、たしかに的を射てはいるが、実は自分自身に付けた値打ではない。永遠の恋人の襟に、千香子が勝手にぶら下げてしまった値段《プライス》だ。そんなことはわかっている。

どうしても、新たな恋人に浩之より高い値段を付けることができなかった。それは男としてのそれぞれの魅力や、愛の力とは無縁のものだった。どれほど愛されても、千香子は浩之を愛したように男たちを愛そうとはしなかった。

初めての男であるということが、長い縛《いまし》めの理由にはなるまい。どこか人生の途中で浩之が現れても、結果は同じだったと思う。

愛し合った時間も、おそらくその後の誰にも増して短かかった。専門学校に通っていた二十歳の秋口に知り合い、街路樹が黄色い葉を散らすころには、きっぱりと別れた。

そう。きっぱりと別れて以来、噂さえも聞かない。もともと街角で知り合って、共有する友人もなく、わずかな時の間に数えきれぬ愛を交わし、きっぱりと葉の落ちるような別れ方をした。だから、噂を耳にするってもなかった。

桑野《くわの》浩之という名前のほかに、いったい何を知っていたのだろうと考えれば、思い当たることはいくつもない。

絵画館から続く金色の道を泣きながら歩いて、青山通りの信号できっぱりと別れたとき、記憶のすべてでも喪ってしまったのだと思う。そして余分なものがすべて洗い流されたあと、愛しているという切ない事実だけが、厄介な黄金のように、心に残った。

そんな馬鹿なこと、あるはずないじゃないの――。

千香子はようやく気を取り直して瞼をもたげた。

たしかに若者はあのころの浩之とうりふたつだが、まさか映画でもあるまいに浩之だけが齢《とし》をとらずにそこにいるはずはない。

椅子を回して、千香子は若者を見た。心の中の魔物と向き合っているのだと思った。ならば自分自身のために、確認しなければならない。

ゆっくりと、千香子は若者に歩み寄った。近付くほどに、いよいよ浩之そのものに思えた。

「あ、ここ空きますから、どうぞ」

千香子に気付いて周囲の席を見渡し、若者は言った。一瞬たしかに千香子を見た。もし映画のようなことが現実に起こっているのなら、表情に多少のとまどいはあるはずだ。やはり自分の勝手な妄想なのだろうか。

しかし、若者が椅子から立ち上がって、そそくさとテーブルの上の文具を片付けたとき、千香子はひやりとした。古ぼけた英和辞書が閉じられたとたん、その汚れた厚い束《つか》に、「KUWANO」というアルファベットが浮かび上がったのだった。

向かいの席にへたりこみながら、千香子は平静を装って訊ねた。

「ずいぶん年季の入った辞書ね。懐しいわ」

赤い表紙のクラウン英和辞典。王冠の金箔は剝げ落ち、黒ずんだ背にはガムテープが貼られていた。

若者はショルダー・バッグに荷物を詰めこみながら、こともなげに答えた。

「おやじから、もらったんです。辞書は古い方がいいって。たしかに例文とかは、いいんですよ。でももうボロボロで、Aの頭のところなんて、何ページもなくなっちゃってるんだけど」

饒舌《じょうぜつ》そうな高い声も、如才ない笑顔も、浩之そのものだった。だが、ともかくこれで科学的な説明はついた。

言葉よりも感情が胸に溢れて黙りこくるうちに、若者は席を立ってしまった。

醒めた頭の一部分で、千香子は冷静に過ぎ去った年を算えた。あのころ、浩之は二十二歳で、すでに外資系の保険会社に就職が内定していた。少し早めの結婚をしたのなら、あのくらいの子供がいてもふしぎはない。

千香子は若者の後を追って階段を駆け下りた。

「ねえ、ちょっと待って」

ドーナツ・ショップの自動ドアから枯葉の流れる舗道に出て、若者は振り返った。

「ぼく、ですか？」

「訊《き》きたいことがあるんだけど、いいかな」

ええ、と若者は少しうろたえながら、訝《いぶか》しげに千香子を見つめた。


「へえ……そんな偶然て、あるもんかねえ」

問わず語りに車の中で話し始めたものが、渡辺《わたなべ》のマンションにまで持ち越されてしまった。

「内緒にしておいてよ、ナベさん。誰にも話してないんだから」

「そりゃ、俺とおまえの仲なんだから、他の誰に話せることじゃないけどさ。しかし、意外だなあ、中川《なかがわ》にそんなロマンスがあったなんて。鉄の女だと思ってた」

ビールの泡を口髭にたくわえたまま、渡辺は苦笑する。

「アヤちゃんにも、言わないでよ」

「中学生に聞かせる話じゃないだろう」

「何言ってるの、中学生の喜びそうな話じゃないの。初めての男を忘れられなくて、結婚もしないファッション・デザイナー。漫画ね、まるで——おかわり、もらっていいかな」

「どうぞご自由に」

キッチンはいつも整然と片付けられている。渡辺は髭面と大きな体からは想像もつかぬほどまめな性格だった。

「おつまみ、何もないね。冷蔵庫の中まできれいすぎるわよ」

「買物はいやだね。アヤが期末試験だから、カラッポになっちまった。ピザでも取るか」

「そうねえ。アヤちゃんもまだ起きてるみたいだし。何時になる？」

「一時半——ええと、それでどこまで聞いたっけか」

「だからァ、その子ったら二十歳《はたち》だっていうのよ。ということはね、ヒロちゃんは私とその子の母親の二股をかけてたってことになるじゃない」

「いや、おまえと別れてからすぐに付き合い始めた人かもしれないぞ。ちゃんと計算してみろよ」

「めんどう。考えるのもいやだわ」

どうでもいいことではないと思う。正確な暦をたどるのは怖かった。

絵画館前の銀杏並木を往きつ戻りつしながら、浩之は突然きり出した別れの理由を、何ひとつ語ろうとはしなかったのだ。

渡辺は携帯電話で、出前のピザを注文した。

「家にいるときぐらい、ふつうの電話使ったら。料金だってちがうのよ」

「だめだな、癖になっちまって。会社のデスクでも使ってるもんな。喜ぶのは社長だけだ。営業の電話が自腹なんだから——そうそう、きょう社長から妙なことを言われた」

「話の腰を折るわね」

「コマーシャル・タイム」

「いいわ。何を言われたの？」

「笑ってやってくれ。ボスもこの不景気でとうとう切れたらしい。ひどくマジメな顔でさ、ナベ、おまえ中川と一緒になったらどうだって」

「新しいブランドを作るご時世じゃないでしょうに。第一、私とナベさんのプロジェクトは前にも苦い経験があるんだから。いくらの赤字を出して撤退したのか、忘れたのかしらね」

「ばァか。そうじゃないって、俺とおまえがだね——つまり、結婚しろってこと」

千香子は一瞬、きょとんと渡辺の顔を見つめた。

「笑うわよ」

「どうぞ。俺はその場でさんざ笑ったから」

千香子が笑うと、渡辺も満面の髭を波打たせて笑った。

「ああ、おかしい。サッちゃんが生きてたら、何ていうかな」

「一緒に笑うさ。もっとも——かみさんが生きてたら、そんな話は出るわけないか」

親友だった佐知子が手の施しようのない癌で急死してから三年がたつ。

「あのなあ、中川。俺、実はな、さっきのヒロちゃんとかいう男の話、知ってたんだ。佐知子に聞いた」

たぶんそうだろうとは思っていた。渡辺は妻と千香子の信義のために、知らぬそぶりで話を聞いていたのだろう。どうせ佐知子から聞かされているにちがいないと思ったからこそ、千香子も話す気になったのだが。

「夫婦って、そんなものだ。あいつを悪く思うなよ」

「まったく、サッちゃんたら……ナベさんもそうならそうと早く言ってよ。疲れるなあ、もう」

「だが、俺は半信半疑だったよ。佐知子は何だってオーバーに言う癖があったからな。想像力がたくましいっていうのか」

「天才だったからね、サッちゃんは。彼女がナベさんと結婚しないでずっと企画室にいたら、私なんて出る幕はなかった」

「そんなことはないけどさ――ともかく、俺はあんまり信じちゃいなかった。佐知子が言うには、そのヒロちゃんとのことがトラウマになっちまってて、真剣な恋愛ができないんだって。言いわけだろ、それは」

「さあね。自分でもよくわからない」

「ともかく俺にしてみれば、おまえは鉄の女でいて欲しかった。佐知子みたいに結婚して会社をやめられた日にゃ、営業サイドとしてはたまったものじゃない。考えたくもないよ、中川千香子のいない会社なんて」

「ありがとう。ご要望に添うことができて幸せですわ、渡辺部長」

その後のいくつもの恋の詳細は、佐知子にも話してはいない。渡辺の耳に入ることを怖れたからだった。これといったトラブルもスキャンダルもなかった。やはり周囲の要望通りの、鉄の女だったのだろう。

そんな称号と引きかえに、トップ・デザイナーとしての名声をかち得たのだと思うと、千香子はやるせない気持になった。

「ナベさん。話の続き、聞いてくれる?」

大人の微笑を湛《たた》えたまま、その先を話すことができるだろうか。

「聞きましょう。そうだな――ヒロちゃんは女房に死なれて、男手ひとつで息子を育てた。出来のいい倅《せがれ》は親父と同じ大学に進んで、もう手はかからない。さあ、どうする中川」

千香子は力なく顎《あご》を振った。微笑は消えてしまったのだろう。まるで鏡を立てたように、渡辺の表情も固まった。

「死んだのは奥さんじゃなくって、彼――」

「おい……ほんとかよ、それ。作ってやしないだろうな」

大学時代の級友だと偽って、父親の消息を訊ねた。しかし息子のもたらしたものは、思いもかけぬ浩之の訃報《ふほう》だった。

「去年の冬、クモ膜下出血で死んじゃったんだって――あのね、ナベさんに話す気になったのはね、サッちゃんの亭主だからじゃないのよ。仕事のパートナーだからでもないわ。私、ナベさんの気持が初めてわかったの」

とたんに、渡辺の温厚な顔が軋《きし》んだ。

「おい、中川」

缶ビールをテーブルに叩き置いて、渡辺は声を荒げた。

「どうわかったっていうんだよ。まだ小学生だったアヤを抱えて、この不況のさなかに会社の売上を全部しょわされて、佐知子に死なれちまった俺の気持が、どうしておまえにわかるんだよ。そんなハーレクインみたいな話と一緒くたにするな」

恫喝《どうかつ》されたとたん、千香子の頭の中はまっしろになってしまった。

浩之を愛していた。いや、今も愛し続けている。愛情は人の心の中にあるものなのだから、二十年の間何のふれあいもなかったにしても、愛する人を喪った悲しみは同じだと思った。

「ハーレクイン・ロマンス、ですか……」

「そうだよ。もしかしたらおまえは、いつもそうやって飽きた男を捨ててきたんじゃないのか。悪女になりたくないから、初めての男を勝手な偶像にまつり上げて、心変わりを正当化してきたんじゃないのか」

「ひどいよ、そんなの……」

否定する自信が、千香子にはなかった。少なくとも結婚という愛の結論を出さぬために、浩之を利用していたことはたしかだと思う。

「どうしたの、パパ」

アヤが不安げな顔をドアのすきまから覗かせた。

「いや、何でもないよ。ちょっとお仕事の話さ。もうじきピザがくるから、こっちにおいで」

「おばちゃんをいじめたらだめだよ」

佐知子に似ていると思ったとたん、千香子の目に涙が溢れた。


「ねえ千香子。ボス、近ごろ変わったと思わない？」

佐知子が人なつこい微笑をうかべてそう言ったのは、サン・ラザール駅にほど近いホテルのカフェだった。ガラス窓に秋の入陽がまばゆい。

「そりゃ、変わらなけりゃおかしいわ。たった二年で売上が十倍に膨れ上がったんだから、五反田《ご たんだ》のオンボロビルにいたころのボスと同じだったら、変よ」

「私たち、ラッキーよね」

佐知子は可愛らしい丸顔を少女のようにほころばせた。大ヒットしたニュー・ブランドのデザインは、すべて佐知子と二人で起こした。だがその天使のような笑顔を見るにつけ、会社に福運をもたらしたのは、この子だろうといつも思う。

「あの地味な会社が、まさかこんなふうにブレイクするとはねえ。よく考えてよ、千香子。ここ、パリよ。五反田の一杯飲み屋でついこの間まで焼き鳥かじってた、ボスとナベさんと千香子と私とで、パリコレに来てるのよ」

「何だか、こわいみたいね。そう考えてみると」

「あのねえ、千香子――」

佐知子が思いもかけぬ告白をしたのは、そのときだった。うかれ上がった旅先の気分が、いつか親友には打ちあけねばならない心の扉を開いたのだろう。

「なに？」

「ぜったい、ビックリしないでね」

「勿体《もったい》つけないでよ。どうせあなたの言うことは大したものじゃないんだから」

「あのね――やっぱり、やめとこ」

さんざ勿体をつけたあとで佐知子は、渡辺と付き合っているのだと、打ちあけた。聞きながらめまいを感じるほど、千香子は動顛《どうてん》した。たぶん、そうは見えなかったとは思うが。

「ビックリしたでしょ」

「べつに。ナベさん、いい人だし。祝福するわ、心から」

「ごめんね、千香子。五年もみんなで机を並べてたし、気心の知れた仲間が急に付き合い始めたっていうの、恥ずかしいから。言い出せなかった。こっちに来る前に、ナベさんと相談したのよ。べつに悪いことしてるんじゃないんだから、パリで言っちゃおうって。俺はボスに言うから、おまえは中川に言えよって」

渡辺の口から聞きたかったと、千香子は思った。

「ごめんね、千香子。ショック?」

「そりゃ、ショックよ。私だってナベさんのこと嫌いじゃないし」

ごめんなさい、と佐知子は俯《うつむ》いてしまった。

「そうだろうって思ってたから。嫌いな人にお弁当作ってきたりしないもんね」

「考えすぎだよ、サッちゃん。あれは一回きりのシャレ。中川の弁当、うまそうだなって言うから、翌日作ってきてあげただけ。深い意味はないわ、気にしないで」

「ほんとに?」

「ほんとよ。疑ってたの? 私とナベさんのこと」

千香子をまっすぐに見つめて、佐知子はひとつ肯いた。細い肩から、まるで重い荷をおろしたように力が脱けていた。

「だからね、付き合い始めたとき——初めて手を握られたときよ。はっきり訊いたの。千香子とのこと」

千香子は声を上げて笑った。笑いとばすことが親友に対する祝福だと思った。

朴訥《ぼくとつ》で誠実な、いつも朝早くから夜遅くまでタグの付けかえをしたり、ラックを担いで階段を昇り降りしている、恋愛などとはおよそ無縁な感じのする男に、恋をしていた。

「よかった……」

佐知子は微笑んでくれた。子供のように清らかな笑顔を見ながら、これでいいのだと千香子は自分に言いきかせた。

それから——別れた恋人の話をした。その人のことが忘れられないのだ、と。

西陽に隈取《くまど》られた佐知子の微笑が、眩しくてならなかった。だから、ありもせぬ感情を、行きずりの男の記憶の上に塗り重ねた。そうして渡辺に対する感情を、虚偽の壁の中に塗りこめてしまおうと思った。

「へえ……そんなこと、あったんだ」

「だから、もう妙な気はつかわないで。わかった？　サッちゃん——ところで、お願いがひとつ。聞いてくれるかな」

「なに？」

「今晩、ちょっとナベさん貸してよ。一時間だけ。私から、祝福させて」

「あんまりひやかさないでよ。あの人、シャイなんだから」

「わかってます、そんなこと。おたがい顔色を窺《うかが》うのって、いやじゃないの」

明日からの自分自身のためにも、そうしなければならないと思った。


その夜、トロカデロ広場のテラスから見たパリの夜景を、千香子は忘れない。

さりげない、朗らかな誘いに、渡辺はとまどいながらも付き合ってくれた。祝福の言葉は、初めの一言こそ辛かったが、続けて口にするうちに気持が楽になった。

小高いテラスの正面には、華やかにライト・アップされたエッフェル塔がそそり立っており、そこからこぼれ落ちたしずくのように、パリの灯は涯《は》てもなく眼下に拡がっていた。

大好きな人々と、夢のぎっしり詰まった職場を喪わぬために、それはどうしてもその夜のうちに済ませておかねばならぬ儀式だった。

「バレたら恥ずかしいからさ」

と、エッフェル塔のオレンジ色の光に頰を染めながら、渡辺はしきりに照れた。

「サッちゃん、いい子よ。私が保証する。でも、すぐに会社を辞めさせたりしないでね。エースなんだから」

「ああ。それはボスにも釘をさされた。臨月まで働かせろ、だと」

「え？　――もしかして、おめでた？」

失言を悔いるように渡辺は苦笑した。

「なによ、ナベさん。バレたら恥ずかしいからはないでしょうに」

「ごめん。つまり、そういうこと。ウェディング・ドレスが着られなくなっちまうからさ。ボスに仲人を頼んだ。なんだ……あいつ、そこまで話してなかったのか」

渡辺に対する感情は、おくびにも出してはいなかったと思う。だが佐知子はたぶん、それを察知していた。すべてを告白する勇気がなかったのだろう。

「サッちゃんのこと、幸せにしてあげてよ、ナベさん」

べつに用意していた台詞ではなかったが、その一言が口から出たとたん、涙が出た。拭う気にもなれずに涙を唇で嚙みしめて、渡辺の掌を握りしめた。後にも先にも、肌が触れ合ったのはその一度きりだ。

温かな掌だった。泣いてすがりつきたい衝動に足を踏みしめて耐えながら、あらん限りの祝福の言葉を並べた。

渡辺は大きな掌で、千香子の頭を撫でてくれた。

「おまえ、いいやつだな」

泣き笑いながら、千香子は胸の中で叫び続けていた。

本当はあなたを愛しているの。ずっとずっと、愛し続けてきたの。あの子よりもほんの少し不器用だっただけ。わかってよ、ナベさん——。

思いついて、シャンゼリゼの町なかにタクシーを止めた。

「ちょっと買物して行くわ。サッちゃんが待ってるから、先に帰ってあげて」

「ひとりで、大丈夫か」

「平気よ」

二人でホテルに戻りたくはなかった。

プラタナスの枯葉が舞い始めたシャンゼリゼで、きっぱりと恋人を送ろうと思った。タクシーが行ってしまうと、千香子の心はからっぽになった。

この虚ろな心を、何かで埋めなければならない。しかし早じまいのパリのブティックは、あらかたシャッターを下ろしていた。

凱旋門を間近に見るあたりまで歩いて、しゃれたカフェの並びに小さな宝飾店を見つけた。

「ボンソワール・マダム」

「ボンソワール」

初老の店主が、日本人の上客に向かって微笑みかけた。

あまり迷いもせずに購《あがな》った金のブレスレットを、落葉の散りかかるカフェのテーブルで腕に巻いたとき、千香子は奥歯をきつく噛みしめながら自分自身に呪いをかけたのだ。

この金の鎖は、ヒロユキが買ってくれた。たしか、クワノ・ヒロユキという名の、あのどうでもいい行きずりの男が買ってくれたのだ、と。

浩之を愛している。あの日からずっと、愛し続けている。そう、愛しているのよ、今も。これからも、ずっと。


「なあ、中川。こんなことが冗談で言えっか。笑ってばかりいないで、ちょっとは真剣に考えてくれよ。頼むよ」

いくつになっても剽軽《ひょうきん》な人。

もっともこの調子の良さで、二十年の間に会社を百倍にした。

「あのね、ボス。そんなご無体をおっしゃらなくても、私はヘッド・ハンティングなんかされないわよ。大丈夫、約束します」

「だってさあ――」

と、社長は少年のように口を尖《とが》らせる。

「いくらおまえを信用してるからって、〈CHIKAKO〉ブランドを用意する会社があるなんて聞けばよ、俺だってあせるぜ。いや――むろん、それが理由じゃないよ。ナベと一緒になれっていうのは、二人の幸せを心から考えての上だ。ほんと、ほんと。な、チカちゃん。中川チーフ。まじめに考えてくれって」

「タバコ、きらしちゃった。一本めぐんでくれる、ボス」

「はい、どうぞ。一箱ぜんぶどうぞ」

ソファに深々と沈みこんで、社長も一服つけた。口で言うほどの他意など、どこにもないことはわかっている。心から二人の幸福を希《ねが》い、そうなることが渡辺にも中川にも一番良いのだと、思いあぐねた末の結論を、彼の流儀で言っているのだ。

佐知子が死んだとき、ボスは通夜の席でも火葬場でもずっと、小さなアヤの掌を握り続けていた。もしかしたら佐知子の死を最も嘆いたのは、この人なのではないかと思う。

「なあ、中川」

ふいに真顔になって、社長は千香子を見据えた。

「二十年なんて、わけもないよな。うちの会社もいつの間にかこんなになっちまったけど、五反田のエレベーターもないオンボロビルで、ドレスを一枚一枚、なめるようにして作ってたのが、まるで昨日のことみたいだ」

「まったく――おたがい、老けちゃったけど」

社長はメガネをはずして、疲れた瞼を揉んだ。それが何か重要なことを言い出す前の、彼の癖であることを千香子は知っている。

「まちがっていたら、ごめんな」

「何ですか、ボス。どうぞご遠慮なく」

「おまえ、昔ナベに惚れてたろう」

　とっさに表情を繕ったが、笑うことができずに、千香子は訊き返した。

「そんなふうに見えましたか？」

「うん。社員だって十人たらずのころだから、やばいなあって思ってたんだ。だから、ナベから改まって話があるって言われたとき——」

「パリで？」

「ああ、そうだった。四人でパリコレに初めて行ったときな、あいつからそう言われて、相手はてっきりおまえだと思った。いやあ、ビックリしたな。まさかサッちゃんだとは、考えてもいなかったから。おまえ、知ってたのか？」

「それがね、ボス。私も寝耳に水だったのよ。ビックリなんてものじゃなかったわ。もう、目が点。頭の中がまっしろになっちゃった」

　しばらく千香子の表情を窺いながら、社長は切実な声で言った。

「頼むよ、中川。どうせ空家だろ？」

「どうせ、って、ひどい言い方ですね」

「まさか……いるんか？」

「さあ——」

社長の肥えた肩の向こうに、抜けるような秋空が拡がっていた。

「別れるのは、簡単ですけどね。貰ったものを返して、ひとことさよなら、って言えばいいだけ」

「長いのか、その男」

「とても、長い。でも、別れるのはわけもないんです」

「まいったなあ」

と、社長はすっかり薄くなった髪を両手で撫で上げた。

「俺もまだまだだね。そういうことは、これっぽっちも考えていなかった。やっぱりわからんね、女は——無理するなよ。しょせん俺の老婆心なんだから」

いつものようにお道化《どけ》てほしいと千香子は思った。どんなときだってボスは、笑いながらお道化ながら、舵を取り続けてきてくれた。

「ねえ、ボス。その話、考えてもいいよ」

「男は？」

「そんなもの、いい男ならとっくにどうにかなってるわ。私だって好きこのんで結婚しないわけじゃないもの」

虚勢を張りながら、しきりに煙草を吹かし、髪を弄《もてあそ》んでいる自分に気付いた。並はずれて勘のいいボスに、嘘を気取られはしないかと怖れた。

「チカ」

ボスはいたずらっぽい目を上げて、昔と同じ呼び方をしてくれた。

「深く考えるなよな。サチもいいやつだったけど、おまえもいいやつだ。みんなで青山のどまん中にこんなビルを建てたのに、俺が幸せを独り占めしてるみたいな気がして、やりきれねえんだよ。サチに死なれてから、ずっとそればっか考えてきたんだ。俺が言いたいのは、それだけ」

ドアを閉めるとき、革のソファに沈んだボスの姿が、人形のように小さくちぢんで見えた。

深夜のコーヒー・ブレイクから戻ってきた寺山が、パタンナーにくどい説教をする千香子の肩を叩いた。

「チーフ、続きは僕がやります。休憩してきて——あのね、こないだの親類の子、また来てましたよ」

散らかった型紙をかき集めて寺山に渡し、千香子はすくみ上がるパタンナーたちをもういちど叱りつけた。

「芸術家を気取るんじゃないわよ。いい、私たちは職人なんだから。プレタポルテという名前の、出来合いの服を作る仕立職人なんだからね。こんな商品に比べたら、私が君たちの年ごろに手さぐりで作っていた九千八百円均一のサンドレスの方がよっぽど上等だった。十万円のプレタ・スーツがいったいどんなものか、パリでもミラノでも行ってしっかり見てきなさい。お金ならいくらだって出してあげるわ」

企画室を出て、エレベーターの中で千香子は考えた。

私たちが九千八百円均一のサンドレスを一生懸命に作っていたころ、ボスはいったいいくつだったのだろう。三十一か二。そのほかの社員はみんな二十代の、若い会社だった。パーティションで仕切られた狭いデザイン・ルームで、よく佐知子と徹夜をした。描き散らした絵柄に埋もれて、これじゃまるで苦労してる漫画家ね、と言った佐知子の、天使のような笑顔を思い出す。

ぼんやりと霧のかかった街路に出ると、地下駐車場に入りきれぬワゴン車が、スロープから尻だけを舗道に突き出して止まっていた。

ライト・ブルーにカラーリングされたワゴン車を町なかで見かけると、嬉しくなる。ボディに描かれたロゴ・マークは、佐知子のデザインだ。

コートの襟を合わせ、黄色い落葉を踏んで歩き出したとき、もう自分を偽るのはよそうと千香子は思った。

偽りだったけれど、過ちだったとは思わない。自分にとっても、誰にとっても必要だった嘘は、罪ではあるまい。

霧の中に赤と青のネオン管を灯すドーナツ・ショップから、あの若者が出てきた。パンプスの踵を鳴らして立ち止まると、若者も千香子に気付いた。

「こんばんは。また会いましたね」

　会釈を返した若者の顔は、やはりあの人とうりふたつだ。

　ひとときの恋人だったとは思う。短い秋にいくつもの幼い夜を重ねた。絵画館前の並木道で別れたときも、それほどの切なさはなかったと思う。

「地下鉄、もう終わっちゃってるでしょう」

「車なんです。絵画館前に止めてあるんだけど」

　千香子は若者のたくましい背中を押して歩きだした。落葉がせせらぎのように足元を流れて行く。

「あの、おやじの知り合いだって言ってましたよね。もしかして、付き合ってたんですか、おやじと」

「そうよ。でも、君の生れるずっと昔。おとうさんがまだ大学生のころ」

「なんだ――」

　と、若者は息をついた。

「ちょっと考えちゃいましたよ。おやじの浮気相手かなって。僕、そんなに似てますか？」

「うりふたつ。顔から背丈から、着てるものまで」

「トラッドは変わらないから」

「それにしても、そっくり。タイム・スリップしちゃったんじゃないかって思ったもの。でも――奇跡ね」

この奇跡は、誰が仕組んだのだろう。きっと神様が、もう嘘はつかなくていいよと、千香子を許してくれたのだ。

「おやじ、けっこういいやつだったでしょう」

「いい人だった。でも、いい人って損よね。いろんなことに利用される」

「そうなんですよ。だから会社でも難しい仕事はみんなおっつけられてた。過労死ですよ、あれ」

エリート会社員だった浩之は、生き写しの息子を母校に進ませたのだろう。大学があって、ファッション・メーカーがあって、深夜営業のコーヒー・ショップのある青山で二人が出会っても、べつだんのふしぎはあるまい。

「ところで、こんな遅くまで何してるの？」

「ええと」

と、若者は言いづらそうに釈明をした。

「彼女が、渋谷でバイトしてるんです。夜が遅いから、いつも迎えに行くことにしてて……」

絵画館のドームに続く並木道で、信号を待った。

黄色い葉をぎっしりとつけた銀杏の巨木が、まるで切り揃えたように尖った枝先を星空に並べていた。

凱旋門に続くプラタナスの並木を、千香子はありありと思い出した。

「ごめんね。ちょっと懐しかっただけ」

間合いをとって佇《たたず》む若者の表情は迷惑げだった。おそらく、もう二度とあのドーナッ・ショップに現れることはないだろう。恋人を迎えに行くまでの時間は、どこでも潰せる。

いい人だったのだと、得体の知れぬ中年女に黙って付き合ってくれる若者の横顔を見つめながら、千香子は思った。

とても、いい人だった。別れたあと若い父親になって、一生懸命に仕事もした。そして見知らぬ世界で、ずっと千香子の恋人のままでいてくれた。

二十年前の秋の夜と同じ場所に立っていることに、千香子はようやく気付いた。

そのとき何を話し、どうやって別れたかは忘れた。たぶん、とるに足らぬことで言い争い、そのまま別れてしまったのだろう。浩之は振り返りもせずに信号を渡り、千香子は来た道を戻った。

「ねえ、君。これ、彼女にあげてよ。君からのプレゼントにして」

千香子は金のブレスレットをはずして、若者の掌に握らせた。

「昔ね、君のおとうさんに買ってもらったの」

「おやじに?」

「まさかおかあさんにお返しするのは失礼だから、君の彼女に」

「はあ……」

「お願いよ」

信号が変わってしまう。千香子は伸び上がって若者のうなじを抱き寄せ、口づけをした。

「ありがとう、ヒロちゃん」

若者は抗《あらが》わなかった。

「ごめんなさい。ありがとう。ずっと私のわがままを聞いていてくれて」

若者は千香子の腕をすり抜けて、横断歩道を駆け出した。

「これ、いただいておきます。何だかよくわからないけど、ラッキーです」

若者の残り香が凩《こがらし》に洗われてしまうまで、千香子はガードレールにぼんやりと腰を下ろして、舞い落ちる枯葉と戯れた。

絵画館まではるかに続く金色の道。

縛めを解かれた手に電話機を握って、迎えに来てよと渡辺に言おうかどうか、千香子は迷った。

ファイナル・ラック

年も押し迫った土曜日の夕昏《ぐ》れ、野崎一郎《のざきいちろう》は久しぶりに中山競馬場から西船橋までの道を歩いた。

いつも通りに武蔵野線で帰ろうとしたところが、スタンドから船橋法典《ふなばしほうてん》駅に続く地下通路はひどい混雑だった。

開催も余すところ一日となれば、さすがに人出がちがう。しかも群集の大方は、近ごろ競馬場の主役となった若者のグループばかりである。いったい何を考えているものやら、朝っぱらからろくすっぽ馬券も買わずに黄色い歓声をはり上げ、下見所《パドック》に応援の横断幕を張ったり、地べたに座りこんで浮浪者のように飲み食いしたあげく、また徒党を組んで引き揚げて行く。

勝負とは無縁のあっけらかんとした明るさが、一郎のような古い競馬ファンにはどうとも我慢ならなかった。

そこで、スタンドの人の流れに逆行して、ともかく門の外に出た。地下道よりはいくらかましだが、やはり若者たちの嬌声《きょうせい》に囲まれた。

バスで西船橋に出るか京成電鉄の東中山まで歩くか。

とりあえず競馬場の壁に沿って歩き出しながら、べつに急ぐ理由はないのだし、昔のように西船橋まで歩いてみるか、と考えたのだった。

地下通路の混雑を避けた人々のあらかたはバス・ターミナルに向かった。京成を利用する行列と別れてしまえば、ようやく自在に歩けるほど人は減った。残る客たちも、それぞれ周辺の駐車場へと消えて行く。

おけら街道を歩くのは久しぶりのことだ。少なくとも、スタンドの向う正面に武蔵野線が引かれてから、わざわざ西船橋まで歩いたという記憶はない。十年、いやもっとだろうか。

何となく感傷的な気分になって、一郎は中山のスタンドを振り返った。

まだ時代の変遷に溜息をつくほどの齢《とし》ではないが、夕日の中にあかあかと立ち上がるガラス張りのスタンドを見れば、よくもまあ四半世紀も通いつめたものだと思う。

初めて競馬場に来たのは大学に入学した年だった。五冠馬シンザンはすでにターフを去っていたが、メジロアサマやスピードシンボリが現役だったころのことだ。

若者たちの嬌声のかわりに、殺伐とした野次と怒号が溢れていた。金額の多寡《たか》に拘《かかわ》らず一枚でことたりるユニット馬券のかわりに、二百円と五百円と千円とに単位分けされた厚紙の馬券が、山のように売り出されていた。最終レースが終われば、それらは足の踏み場もないぐらいに競馬場を埋めつくした。おけら街道から振り返るスタンドは、夥《おびただ》しい馬券が舞い踊り、指定席からはロール状の大量購入馬券が巻き落とされ、そのさまはまるで吹雪の桟橋を出港する大型客船のようだった。

——煙草を一服つけて、一郎はおけら街道を歩き出した。

すべてが変わったのだと思う。馬券の型とスタンドの造作だけではない。電車の駅ができ、多くの客が高速道路を車に乗ってやってくる。誰の表情にも生活を賭けるふうはなく、勝っても負けても余裕が感じられる。

結局、四半世紀の間どこも変わっていないのは自分だけなのではないかと一郎は歩きながら考えた。

たとえば、このあたりの風景にしたところで、昔は見渡す限りの田圃《たんぼ》と畑だった。おけら街道は俯《うつむ》いた男たちで埋まり、左右の畦道《あぜみち》まで蟻《あり》ん子のような行列が続いていたものだ。

それが今ではマンションが立ち並び、舗装された道を競馬のことなどとたんに忘れたアベックが、腕を組んで歩いて行く。

そう思えば、たしかに自分だけが変わっていない。

競馬を始めたのは学生運動もたけなわのころで、大学でもたいした学問はせずに競馬ばかりをやって卒業した。就職をし、家庭を持ってからも、週末の競馬場通いは欠かさなかった。

幸か不幸か、一郎には競馬を続けられるだけの環境が与えられていた。これはたぶん珍しいことだと思う。

ビル・メンテナンス会社の営業という仕事は、いわば顧客と下請業者のつなぎ役のようなものので、残業の必要もなければ転勤も出張もない。社員は今も昔も三十人ほどだから、すこぶる家庭的である。もちろん接待を受けることもすることもなく、出世という概念すらなかった。

就職にあたってこの会社を選んだ理由は、仕事の性質上いちはやく週休二日制を導入していたからである。つまり、週末の競馬を堪能できるからだった。

四半世紀の間、少しも変わらずに競馬を続けることのできたわけは、はなからそのつもりで職場を選んだからで、べつだんふしぎな話ではなかった。

むしろ彼にとって偶然に恵まれたのは家庭だろう。ともに三十を過ぎてから見合で結ばれた妻は、大声も出せぬほど控え目な性格で、亭主の道楽について文句を言ったためしは一度もない。

酒は外では飲まず、ゴルフもパチンコもやらないのだから競馬ぐらいは、と思っているのかどうかは知らないが、ともかく週末の朝はふだんと同じように、行ってらっしゃいと言って送り出される。

職場の事情はともかく、この家庭環境はかけがえがないと思う。

歩くほどに、おけら街道からはさらに人影が減って行く。かつては田圃の中の一本道だったのだが、今ではどこをどう歩こうが舗装された住宅地の道だから、西船橋駅までの三十分を歩こういうわずかな人々も、勝手に道筋を選ぶのだろう。つまり、おけら街道などというものは、正しくはもう存在しないのである。

冬の陽《ひ》はすでに翳《かげ》っており、風景は夢の中のように色褪《あ》せていた。見覚えのある農家の塀ごしに、欅《けやき》の朽葉《くちば》がひっきりなしに散りかかった。道はたわみかかる竹藪《たけやぶ》をめぐってカーブする。

このあたりは昔と少しも変わらない。

ふと、懐しい香りが鼻についた。農家の庭続きのガレージに、焼きイカの屋台が出ていた。かつてはおけら街道の名物であったものが、人通りもないというのにまだ一軒だけ残っている。ああ、と思わず感動の声を洩らして、一郎は店先に立ち止まった。

「いらっしゃい、いらっしゃい。熱いの百円」

団扇《うちわ》で熾《おき》をあおぎながら、しわくちゃの老婆が手招いた。

「百円？」

「はい、百円。買ってって、旦那さん」

ご隠居の手なぐさみにしても、百円とは怪しい。

「本当に、百円なの？」

「はい、百円」

「どうして？」

老婆はつまらんことを聞くなとでもいうふうに、竹串を打ったイカを火の上に並べた。

「どうしてって言われても困るよ。丸焼きは百円。ゲソは三十円」

一郎は小銭を出しかけて躊《ため》らった。どう考えても百円は大赤字だろう。まさか自分の家の軒《のき》先《さき》で、腐りかけを売るということもなかろうが。

食べてみて怪しかったら捨てれば良いと、一郎はともかくイカを買った。うまい。昔のままの、中山おけら街道の味である。

「それにしたっておばさん。こんなに焼いちゃって、どうするの」

「は？　――どうするかって、そりゃあ売るだあよ。最終レース、終わっただべ。じきにお客が大勢くるからね」

なるほど、呆《ぼ》けているのかと一郎は思った。毎週こうして屋台を仕立てて、売れもせぬイカを焼いているのだろうか。道具を揃えたうえに食いたくもないイカを山のように食わされる家族も、たまったものではあるまい。

「きょうはどうだったね、旦那さん」

「ああ。どうもこうも、さっぱりだな。明日の有馬記念の軍資金が足らなくなった。今年はヒシアマゾンとナリタブライアンで、なんにもないと思ってるんだけど」

負けは負けだが、明日の軍資金は封は切らずにとってある。ヒシアマゾンとナリタブライアンに勝負をかけるつもりの、暮のボーナスだ。酔いざめの体を風にすくめると、厚い封筒が胸ポケットでごろりと動いた。

　ふうん、と老婆は壺の中の醬油にイカを浸《ひた》す。

「スピードシンボリは、だめかねえ」

　一郎は食いかけたイカを噴《ふ》いた。なんとも懐しい馬の名前である。

「野平《のひら》の祐《ゆう》ちゃんのファンなんだよねえ。だめかねえ、スピードシンボリ。八歳の年よりだから、やっぱりアカネテンリュウとか、ダテテンリュウの方が強いのかねえ」

　呆けているにしては確かな記憶である。それは一郎が大学に入った昭和四十五年の有馬記念――老雄スピードシンボリは、五歳馬アカネテンリュウと四歳馬ダテテンリュウを、首差と鼻差に押さえてグランプリ・ホースとなった。歴史に残る名勝負である。

　手綱をとった野平祐二《ゆうじ》は、今では名調教師だ。

「あたしゃね、こないだの毎日王冠は六十二キロのハンデがこたえたんだと思うんだよね。クリシバなんかに負ける馬じゃないもの。その前の日経賞にしたって、本当なら勝っていたさ。明日は勝てるよねえ、きっと」

　そう――その年のスピードシンボリは、秋シーズン緒戦の日経賞で敗け、毎日王冠でも敗け、その後関西に遠征して惨敗を喫した。有馬記念は背水の陣の引退レースだった。

「おばさん、よく覚えてるなあ、競馬やるんか」

「たまにね。そうしょっちゅうやってたんじゃ、いくらイカが売れたって仕様がないから。さ、どいてどいて。こっちはこの三十分かそこいらが勝負なんだからさ」

背中に不穏《ふおん》な喧噪《けんそう》を感じて一郎は振り返った。

たそがれのおけら街道に土埃《つちぼこり》を立てて、俯きかげんの男たちがぎっしりと歩いてきた。

「はあい、いらっしゃあい。イカ焼百円、ゲソ三十円、熱い熱いの！」

どうやらすべて変わってしまったと感じていたのは思い過ごしであるらしい。

たちまち屋台に群らがって焼きイカにかぶりつく男たちの姿は、スピードシンボリが有馬記念を快勝したあのころとどこも変わってはいなかった。

何となくほっとした気分になって、野崎一郎はおけら街道を歩き出した。


竹串をくわえて歩きながら、ふといやなことを思い出した。

一月前に死んだ梶山《かじやま》の声が耳に甦《よみがえ》ったのだ。

(ヒシアマゾンは怪物だな。今年の有馬はナリタブライアンとヒシアマゾンの一点でどうしようもないよ)

そう言い遺《のこ》して、梶山は電話を切ったのだった。不審な様子は何も感じられなかった。しかしそのわずか数日後に、梶山は会社帰りの電車に飛びこんで死んだ。

通夜の噂話によると、実直な銀行員で通ってきた梶山は巨額の使いこみが露見し、進退きわまって自殺したということだった。客の定期預金を勝手に解約して、競馬につぎこんでいたという。

学生時代からしばしば連れ立って競馬場に通った仲である。古い友人や遺族はそのことを知っていると思うと、何だか共犯者のような気持になって、一郎はそそくさと通夜の席を後にした。翌日の出棺にも立ち会う気にはなれなかった。

梶山は手堅い性格の男だった。分《ぶ》を越えた金額の馬券など見たことがなかった。そんな梶山が客の金に手をつけるまで競馬にのめりこんでいたなどとは、まったく想像もつかなかった。ただひとつ思い当たる節《ふし》はといえば、数年前の好景気のころを境にして、ぷっつりと週末の誘いの電話がかからなくなったことだ。たぶんその時期に、彼の競馬に対する距離を一挙にあやうくさせるような変化が、何かしら起こったのだろうと思う。

梶山が最後の電話で賞讃したヒシアマゾンは、九月のオールカマーを勝ち、京都大賞典を勝ち、電話の直前に行われたジャパンカップでも二着に食いこんでいた。

それでも使いこんだ穴は埋まらなかったのだろうか。いや、人気馬ヒシアマゾンを嫌い続けた結果、死ぬよりほかに手だてがなくなったのではなかろうか。

（ヒシアマゾンは怪物だな。今年の有馬は……）

梶山の遺言が再び耳に甦って、一郎は竹串を地面に叩き捨てた。

遠い昔、梶山と二人で歩いたおけら街道は、不確かな冬の夕昏れに包まれている。色も光もない路上を、男たちの丸い背が追い抜いて行く。

いつの間にか西船橋駅に向かう人の波は、昔と同じくらいに増えていた。焼きソバやとうもろこし売りの屋台が出ている。人混みを避けた人々が、田圃の畦道を一列になって歩いていた。路上にゴザを敷き、客のふりをしたサクラが大げさな驚きの声を上げる物売り。品物は相も変わらぬワニ革のベルトと安物のズボンだ。

怪しげなデンスケ賭博の誘いから身をかわして、一郎は足を早めた。

歩きながら新聞を開き、明日の有馬記念の出馬表を見た。ヒシアマゾンとナリタブライアンは同枠に入っている。二頭の組合せの前売りオッズは二番人気を示していた。八倍の配当は悪くはないと思う。

見覚えのある鳥居の前で、一郎は歩みを止めた。いかにもこのあたりの鎮守様《ちんじゅさま》という感じの、欅の森に囲われた神社だった。鳥居のかたわらに小さな天幕を張った予想屋が店開きをしていた。

「さあ、有馬記念。泣いても笑っても今年の競馬はこれにておしまい。頭は堅い、頭は堅いぞ」

鳥打帽を冠《かぶ》り、毛襟《けえり》のついた革ジャンパーを着た老人が、背筋を伸ばして声を張り上げていた。立ち止まる客はいない。

老人は呼び寄せるように一郎に向かって言った。

「さあ旦那さん。頭が堅けりゃ損はない。時計がちがうんだ時計が、有馬の秘訣は二百円、明日一日分で五百円だよ」

店の造作といい、椅子にでんと構えた老人のいずまいといい、まったく古色蒼然《こしょくそうぜん》たる予想屋だった。

今さら他人の予想に頼って馬券を買うつもりなどないが、一郎はむしょうに懐しい気分になって天幕に歩み寄った。

老人は偉そうに腕組みをして、一郎に笑いかけた。ありがとうもいらっしゃいも決して口にしない。昔ながらの誇り高い予想屋である。

三方に風よけの天幕を張っただけの小屋には、彼の「業績」を誇示するかのような古写真や表彰状が並んでいた。

老人のかたわらには古ぼけた優勝旗が飾られている。

「それは何だい、おじさん」

老人は自慢げにひとつ肯《うなず》いて、金色の房をつまみ上げた。紺地の立派な布に「昭和二十六年五月十三日皐月賞競走・トキノミノル號」と、金糸で縫いとられている。

「昭和二十六年って、俺の生まれた年だよ。何なの、それ」

ふむ、と老人は古武士のように肯いた。

「馬主から記念に贈られた。昔のお大尽は、やることが粋だね。それにしても、トキノミノルは強かった。十戦全勝、うち七度までをレコードで走った。生涯不敗の名馬だ」

「へえ、十戦全勝――」

「さよう。父はセフト、母は第弐タイランツクヰーン。名伯楽田中和《たなかかず》厩舎の所属で、鞍上《あんじょう》は名手岩下《いわした》。馬主は稀代の傑物、永田雅一《ながたまさいち》だ。皐月賞は二分三秒フラットの日本レコードで駆け、ダービーは破傷風に冒《おか》されたまま、三本足で勝った」

ずっと昔、同じ口上を聞いたことがある。得意げに不世出の名馬について語る老人の顔を見つめながら、一郎は思い当たった。

同じこの場所で、梶山と一緒に聞いたのだ。

「おじさん、俺、その話二度目だよ」

言葉を遮《さえぎ》られて、老人は不快そうに眉をひそめた。

「べつに、ばんたび話しとるわけじゃないがね。いつお聞きになった」

「さあ、いつだったかな。ともかくずっと昔だよ。まだ学生のころ――」

頭上に音を立てて凩《こがらし》が吹いた。欅の枯葉がいっせいに舞い落ちてきた。

境内《けいだい》の木立ちを見上げた。たわみかかる木叢《こむら》にめまいを感じて、一郎は卓の下に蹲《うずくま》った。

ふいに懐しい声が聴こえた。

「おっさん、頭が堅いって、アカネテンリュウのことだろう」

すり切れたジーンズの足元をたどって行くと、長髪の若者が革ジャンパーの襟を立てて老人に訊《たず》ねていた。梶山だ。

「それは言えん。わしも商売だ」

背後でひやかしの客が笑った。

「教えてくれよ。おっさん。俺、すっかりやられちまって、おけらなんだ」

「ははっ、この道を西船橋まで歩こうなんてえ連中は、みんなおけらさ。ともかく頭は堅い。有馬の予想は、二百円。一日分で五百円」

若者はチェッと舌打ちをして、一郎の脇に屈《かが》みこんだ。

「おい、野崎。二百円持ってねえか」

「やめとけって、当たりゃしねえよ。自信があるんなら、おっさん自分で買ってるだろうが」

思わず一郎は答えた。

あの日のままだ。自分は歩き疲れて、予想屋の卓の下に屈みこんでしまった。梶山はあのとき、たしかにそう言った。

「でもよ、野崎。おっさんいやに自信たっぷりだぜ。なあ、二百円貸せ」

老人のトキノミノルの口上が始まった。ひやかしの客たちは去ってしまった。

真剣に出馬表を広げる若い梶山の横顔を、一郎はおそるおそる見つめた。

「頭が堅いって、メジロアサマかな。それともアカネテンリュウの差しか」

「ちがうよ、梶山。スピードシンボリが勝つんだ。まちがいないって」

梶山は新聞を丸めて、一郎の頭を叩いた。

「おまえ、さっきまで言ってたことと全然ちがうじゃないかよ。アローエクスプレスの一発だ、大穴だって言ってたじゃねえか」

一郎は立ち上がった。卓の上には、昭和四十五年の有馬記念の出馬表が貼り付けられていた。

あのときとそっくり同じように、一郎は百円玉を二つ取り出して老人の予想を買った。鳥居の裏に回り、一郎は梶山と頭をつき合わせて、小さな紙片を覗きこんだ。

「な、スピードシンボリの頭だよ。相手はアカネテンリュウの一点だって。おっさん、名人だな」

――頭を上げると、若い梶山の姿はどこにも見当たらなかった。

鎮守の境内には何ごともなく欅の朽葉が舞い落ちており、おけら街道を行く人影はなかった。だが、夢ではない。自分の手には老人から買った予想の紙片が握られていた。

「泣いても笑っても競馬はこれでおしまい。これにて閉店」

黄ばんだ天幕を畳みながら、老人が独《ひと》りごちた。

「おじさん、いまここにいた若いやつ、知らないか。革ジャンにジーンズをはいて、髪の長い――」

「さあ、知らんね。お客の顔などいちいち覚えてやしない」

悪い酔い方をしたようだ。おけら街道には屋台の物売りも、デンスケ賭博の人だかりもなかった。夕闇の迫る路上には、競馬のことなどとたんに忘れたアベックが、手をつないでぶらぶらと歩いているきりだった。鳥居の上に烏《からす》が舞い下りて、一郎を嘲《あざけ》るように鳴いた。

「さて有馬記念。泣いても笑っても競馬は明日でおしまい。頭は堅い、頭は堅い」

ぶつぶつと呪文のように口ずさみながら店じまいをする老人に一郎は歩み寄った。

「おじさんは名人だな。自分で馬券を買うことはないの」

「夢を売る予想屋が、自分で夢を食ってどうするね」

「やっと思い出したんだ。昔、おじさんに儲けさせて貰《もら》ったことがある。覚えてるかな、スピードシンボリの勝った有馬記念さ」

「いつの有馬記念だね」

と、老人は天幕を畳む手を休めて一郎を見た。

「シンボリは強かった。四歳から五年連続してグランプリに出走した。あんな馬は後にも先にもいやしない。しかも七歳と八歳で二連覇。あんたの言っているのは、どっちのときかね」

「アカネテンリュウが二着に来たときだよ」

「二度とも二着はアカネテンリュウさ。あれは運がなかった」

「じゃあ、後の方だな。シンボリは有馬を勝って引退したんだ。あのとき、おじさんは一点で予想をした。覚えているだろう」

「ああ、覚えておるとも、春の宝塚記念のあとを三連敗して、シンボリはもう終わったと誰もが考えていた。だが、わしは勝つと思った。名馬は引けぎわを飾るものだ。このトキノミノルを見たまえ、真の名馬はこれで最後と思えば、三本足でも勝つ」

老人は話しながら、トキノミノルの写真を愛おしげに風呂敷でくるんだ。

夢を見ているのかもしれない、と一郎は思った。鎮守の森に沈みかかる夕日が、老人の背中を隈取《くまど》っていた。夢ならばなおさら訊《き》いておかねばならなかった。コートのポケットから硬貨を選《よ》り出して、一郎は新聞を卓の上に広げた。

「もう店じまい。泣いても笑ってもこれで競馬はおしまい」

「たのむよ、おじさん」

「しつこい客だな。まあ、競馬も明日で終わりだ。これで餅でも買いなさい」

老人は耳に挟んだ赤鉛筆を取って、ぞんざいに印を書き入れた。

「マヤノトップガン？　――そりゃないだろ、おじさん。いくら菊花賞馬だって、今年の四歳はレベルが低いんだ」

「まちがいない」

と、老人は荷物を段ボール箱に納めながら言った。

「タイキブリザードは決め手に欠けるよ。中山で走れる馬じゃない。それに、岡部《おかべ》はジェニュインに乗る」

「いや、まちがいない」

「じゃあ、他の馬は。ヒシアマゾンは？」

「いらない。中山の二千五百は牝馬にとっちゃ甘くない」

「ナリタブライアンは？」

「仕上がっていない。グランプリはどの馬も目一杯に作ってくる」

「じゃあ、②―⑩の一点でいいって言うのか」

「さよう。まちがいない――さあ、どいたどいた。泣いても笑っても競馬はこれでおしまい」

やはり夢なのだろうか。

なにげなく振り返ったおけら街道の涯《は》てに一郎はふしぎな光景を見た。

古い中山のスタンドが、夕日の中に聳《そそ》り立っている。夥しいはずれ馬券が花吹雪のように吹き上がり、指定席から巻き落とされたロール馬券を別れのテープのように曳《ひ》いて、それはさながら港を出る巨大な客船のようだ。

立ちすくむ一郎の耳に、老人の声が聴こえた。

「どうやらあんたは、ビギナーズ・ラックというやつで苦労をしたようだな」

「ファイナル・ラックというのも、ありますかね」

「ある。まちがいない。人間も馬と同様、これで最後と思えば存外の力が出るものだ」

振り返ると、老人の姿はなかった。

競馬場で酒を飲むようになったのはいつのころからだろう。決して儲からないものだと気付いてから、せめて一日を浮かれて過ごそうと、酒を口にするようになった。それにしても、悪い酔い方をしたものだ。

帰りの電車の中で、一郎はぼんやりとあの日のことばかりを思い出していた。昭和四十五年の暮、大学は一年中ロックアウトされていた。ヘルメットを冠らぬ学生には、何もすることがなかった。

だから、今の若者たちのように、ブームに乗って競馬を始めたわけではない。梶山と一緒に暇をつぶしていた喫茶店のテーブルに、たまたまスポーツ新聞が置かれていただけだ。

そのときどういう会話をかわし、どういういきさつで競馬に行ったのかは忘れた。だがともかく、二人は翌日、連れ立って中山に出かけた。

おっかなびっくり馬券を買い、二人とも負けた。明日の有馬記念は勝負だと気勢を上げながらおけら街道を帰った。焼きイカを食いながら、鎮守の鳥居の脇に店を出す予想屋の前で立ち止まったのだった。そして――予想を買った。

総武線の各駅停車は、のんびりと師走の町を横切って走る。満員の客を乗せて追い抜いて行く快速電車の窓を振り返りながら、一郎は考えた。

あの日、あれからどうしたのだろう。

そうだ。やはり各駅停車に揺られて帰った。馬券を買ったのも初めてならば、もちろん予想を買ったのもその日が初めてだった。老人の自信たっぷりに示したスピードシンボリとアカネテンリュウの一点勝負が、確実なご託宣のように思えた。中野の学生下宿に戻ると、二人は虎の子の越年資金をかき集め、ろくに眠りもせずにその翌朝、いそいそと競馬場に向かったのだった。そして、一日おくれのビギナーズ・ラックを体験した。

その後の記憶は消えている。正月を下宿で迎えたのか、郷里に帰ったのかも憶えがなかった。ただわかっていることは、それをきっかけにして二人の競馬場がよいが始まり、少なからず人生が変わったということだけだ。

自分の人生が競馬によって歪《ゆが》められたことは、もちろん十分に自覚している。そしてしばしば連れ立って競馬場に通いながら、ほとんど禁欲的な馬券の買い方しかしない梶山を、一郎は内心尊敬していた。分相応の馬券を買い続けながら、都市銀行の中枢で出世をして行く梶山は、競馬ファンのお手本のようなものだった。

細い鼻梁《びりょう》の上に銀ぶちの眼鏡を押し上げて、じっと出馬表に見入る梶山の顔が思い出された。

競馬場にも、いつも地味な背広を着てきた。直線の叩き合いで喚声を上げることもなかった。いったい勝っているのか負けているのか、帰り途《みち》に訊ねるまではわからないほどの、冷静なフアンだった。

郊外の駅のホームに降り立ったとき、一郎は初めて梶山の死について思い悩んでいる自分に気付いた。それまでは、梶山が自殺をしたという事実のほかは、何ひとつ考えてはいなかったのだ。詮索《せんさく》は恐怖だった。だから、いったい彼の身の上に何が起こったのか、知りたくも考えたくもなかった。

もし監査で不正が発覚しなかったなら、梶山は明日の有馬記念に文字通り起死回生の勝負をかけたことだろう。そしてそれはおそらく、女傑ヒシアマゾンと現役最強馬ナリタブライアンの一点にちがいない。

あわただしい歳末の夜の駅頭に立って、一郎は新聞を広げた。前売りのオッズを見る。馬番連勝式⑦―⑧、七・八倍。枠番式はそれを上回る八倍。勝負馬券としては絶好の配当だと思う。内ポケットでボーナスの袋がごろりと動き、一郎は戦慄した。もしこの弔《とむら》い合戦《がっせん》が的を射れば、五十万が四百万に変わる。

街路樹を吹き抜けてくる凩に頬をなぶられて、酔いは急速に引いて行った。

ふと、夢とも現《うつつ》ともつかぬ老予想屋の自信に満ちた声が甦った。レベルが低いといわれる四歳馬のマヤノトップガンと、名手岡部に見捨てられたタイキブリザードとの組合せ、②―⑩。前売りのオッズは四〇倍の好配当を示していた。

マヤノトップガンの調教欄に目を移す。計時タイムは平凡で、トラックマンの短評にも「いつもほどの凄さはない」と明言されている。

一方のタイキブリザードは、成績欄からもひとめでそうとわかる通り、四月のオープン特別戦以来、勝ち星がない。常に善戦はするが決め手に欠けるこの馬が、直線の短い中山コースで一、二着に来るとは考えづらい。

団地行きのバスがきた。

梶山が生きていたなら、この予想をどう評価しただろう、と一郎は思った。おそらくは、薄い唇の端に微笑を泛《う》かべて、物静かに、こう呟いたにちがいない。

格が、ちがうよ、と。


古い都営住宅は何もかもがおもちゃのように小さい。

抽選に当たって引越してきたときには、それでも贅沢《ぜいたく》な広さに感じられた。二人の子供が成長したせいばかりではあるまい。世の中のものがみな大きく立派になって、いわゆる団地サイズの幅や高さや平面が、どこにもなくなったからなのだろう。

中学生の娘と小学校六年の息子を、いつまでも同じ部屋に寝起きさせておくわけにはいかない、と妻は近ごろ口癖のように言う。

玄関の錠を解いたなり、妻は一郎をドアから押し戻すようにして囁いた。

「きょうね、警察の人が来たの」

「警察？」

「あなたが梶山さんと競馬に行ってたろう、って。使いこみのことをまだ調べてるみたい。そんなこと、今さらどうこう言ったって始まらないのにね」

「何だか共犯者みたいで、いやだな」

「あしたも、行く？」

「ああ。泣いても笑ってもあと一日で終わりだ」

予想屋の老人の言葉がそのまま口に出て、一郎はぎくりとした。

「おとうさん、ご祝儀ちょうだい」

「ぼくも」

子供たちが襖《ふすま》のすきまに顔を並べていた。

「だめだったみたいねえ」

と、妻は呑気《のんき》に笑いながら靴を揃え、家の中に入って行った。

一郎は狭い上がりかまちに腰を下ろした。ひどく疲れている。おけら街道で見たものはすべてまぼろしだったのだろう。梶山の死がこれほど身に応えているとは思ってもいなかった。競馬場で消費した四半世紀の時間と膨大な金が両肩にのしかかって、一郎は立つことも動くこともできなくなった。

ほの暗い灯りの下で、一郎は再び有馬記念の出走表を開いた。

「どうしたの、あなた」

妻が台所から戻ってきた。菜箸《さいばし》に挟んだ煮物を、「はい、あーん」と夫の口に入れる。そのままいじめられた子供を宥《なだ》めるように、妻は一郎のかたわらにしゃがみこんだ。

「ボーナス、つかっちゃったんでしょう」

「いや、まだ持ってる」

「今年は出ないかもしれないなんて言ってたくせに」

一郎は内ポケットから、幸い今日のところは封を切らずにすんだ袋を取り出した。

「いいわよ、あした持ってきなさいな。泣いても笑ってもあと一日なんでしょう」

「おけらになるかもしれないぞ」

「自分のお金なんだから、いいじゃないの。——どう、おいしく煮えてるでしょう」

「ああ、うまいね」

「齢をとると、誰でも煮物が好きになるんですって。いやねえ」

スチールのドアの郵便受から、凩が細く吹きこんだ。空が鳴っている。

妻は微笑を消してぽつりと呟いた。

「何だかかわいそうな気がするけど、たったひとつの楽しみまで取り上げちゃうみたいで」

梶山が死んでからというもの、そんなにも自分が憔悴《しょうすい》しきっていたのだろうか。

「ねえ、何買うの？」

「これと、これ。マヤノトップガンとタイキブリザードの②―⑩。前売りオッズで四〇倍だってよ。五十万買ったらいくらになるのかな」

「四、五の二十。二百万」

「ばあか。二千万だろう」

「うわあ、そしたらマンション買おうね、あなた」

菊花賞のときと同じように、四コーナーから一気に抜け出すマヤノトップガンの姿が、ありありと目にうかんだ。

人間も馬と同様、これで最後だと思えば存外の力が出るものかもしれない。幸い取り返しのつかぬ使いこみをするほど出世をしたわけではないのだし、これで最後と決めた馬券を、ささやかなマンションの夢に賭けてみるのも悪くはあるまい。

さて――ファイナル・ラックというものが、本当にあるのだろうか。

※

※

※

第40回有馬記念（ＧⅠ）（混）（指）　［平成７年］
（４歳上オープン　馬齢・芝2500㍍　良）

1	❼⑩マヤノトップガン	55	田　原	2.33.6		458＋4	⑥	栗東	坂口正大
2	❷②タイキブリザード	57	坂　本	2.33.9	2	530－4	⑤	北	藤　沢
3	❶①サクラチトセオー	56	小島太	2.34.0	1/2	474＋4	④	南	境　勝
4	❻⑧ナリタブライアン	57	武	2.34.1	3/4	478＋10	②	栗東	大久保正
5	❻⑦ヒシアマゾン	55	中　舘	2.34.6	3	488＋4	①	北	中野隆
6	❽⑪アイルトンシンボリ	56	加　藤	2.34.7	1/2	492＋6	⑨	南	畠　山
7	❹④ロイスアンドロイス	56	横山典	2.34.8	3/4	508＋6	⑧	南	松　山
8	❸③ゴーゴーゼット	57	村　本	2.35.4	3½	434＋10	⑦	栗東	新　井
9	❺⑤ナイスネイチャ	56	松永昌	2.35.4	鼻	496＋4	⑩	栗東	松永善
10	❺⑥ジェニュイン	55	岡　部	2.35.5	2/1	498＋4	③	南	松　山
11	❽⑫アイリッシュダンス	54	柴　田	2.35.7	3/4	474－2	⑫	北	栗　田
12	❼⑨イブキタモンヤグラ	55	河　内	2.35.8	3/4	458　0	⑪	栗東	長　浜

単⑩1300円　複⑩400円　②300円　①340円　枠連❷—❼3740円⑭
馬連②—⑩4770円⑱

決め手＝逃切　上がり＝47.5—35.3　ラップ＝7.1—11.8—12.2—12.2—12.4—12.9—13.0—12.3—12.2—12.2—12.0—11.2—12.1

二角❿⑪②（⑥⑨）（④⑫⑧）（①⑦）—③⑤
三角❿⑪（②⑥⑧）④⑨（⑫⑦）①（③⑤）
四角❿（②⑪⑥⑧）（④⑦）（①⑤）⑫⑨—③

見知らぬ妻へ

町じゅうのクリスマス・ツリーが、一晩で松飾りに化けた師走の夕暮、花田章《はなだあきら》は郷里からの電話で目を覚ました。

〈あれ、寝てたの、おとうさん。具合でも悪いの？〉

生返事をしてから顔を洗いに立ち、平静を装って携帯電話機を取る。

「いや。お得意先につき合わされて、朝まで飲んでたんだ」

〈きのう、振込、ありがとうって。おかあさんが〉

「少なくてすまんな。ひどい不景気で、ボーナスも雀《すずめ》の涙さ」

〈うん。不景気は札幌も同じだから。それよりも、ねえ、おとうさん――〉

こまっしゃくれた慰めを言って、ふいに切り出した娘の言葉が雑音に紛れた。花田はカーテンを開け、夕陽を背負った新都心の摩天楼に手をかざした。

「何だって？　聴こえない」

「――だから、あたし東京の高校に行くからね。おかあさんやおにいちゃんが何て言ったって、

そっちに行くからね。応援してよ、おとうさん〉

「応援するも何も、かあさんと話し合うことができないじゃないか。電話だっていつもおまえがかけてくるだけだし。いるのか、かあさん。いたら代ってくれ」

〈いないよ。夜ならいるから、おとうさんがかけてきてよ〉

「それはできないんだ。わかるだろ、マアちゃん。そっちの人に失礼じゃないか」

気まずい沈黙が続いた。娘とのそっくり同じやりとりは、この数ヵ月も繰り返されている。離婚をし、親権を放棄してから五年も経つのだから、妻の行状をどうこう言う筋合ではない。小学生のころ別れたきりの娘から今さらこんな問題を持ちかけられようとは思ってもいなかった。

〈知らないよ、あんなやつ。おとうさんも、もうお金なんか送ってこなくていいよ。ばかみたいじゃない〉

「それはかあさんとの約束だからな。そっちの人とは関係ない。ともかく、良く相談しなさい。お正月にはおにいちゃんも帰ってくるんだろう?」

〈いつも同じことばっかり。じゃあね〉

電話はぶつりと切られた。

すでに東京の大学に通っている長男とは、まったく行き来がない。世田谷のアパートに同郷の友人と住んでいるということのほかは何も知らない。兄や母が、娘の突拍子もない考えに賛同するはずはなかった。

「ばかみたい、か……」

花田は独《ひと》りごちながら、携帯電話のスイッチを切った。

月々の十万円に加えて、夏と暮にはできる限りの金を、ボーナスだと偽って送っている。ことさら妻との口約束を尊重しているわけではない。贖罪《しょくざい》の気持もない。ただ、送金をしたあと必ずかかってくる娘からの電話が、花田を北の故郷につなぎ止めているのである。肉体の衰えを感じ始めた近ごろでは、それが命の絆《きずな》のようにも思えるのだった。

安物のパイプベッドを軋《きし》ませて立ち上がり、トレードマークの、銀行員のような背広を着る。白髪の目立ち始めた髪に櫛《くし》をあて、部屋の灯りを消すと、歌舞伎町の華やかな灯が業火のようになだれこんだ。

五年も住みついているワンルームが、いつまでたっても仮住いのように殺風景であることに深い理由はない。会社を潰して、浮気相手だった女子社員とともに故郷を逃れ、ここにやってきた。女は一月と持たずに札幌に帰ってしまい、すべてを失った中年男ひとりが隠れ家に残された、というわけだ。訪れる者もなく、生来がきれいずきで無趣味な男の部屋は散らかりようもなかった。

部屋を出ようとしたとき、完成まぢかのジグソーパズルをテーブルから落として、花田は取り返しようのない溜息をついた。

大久保通りに面したハンバーガー・ショップの窓辺には、出勤途中の外国人女がずらりと並んでいた。

「花サン、花サン」と、ハンバーガーをかじりながら肥えた白人女が追ってきて、たぶんロシア語らしい早口で話しかけてきた。客を回したお礼を言っているらしいのだが、そんなことはいちいち覚えていない。

毎晩路上で何百人もの男たちに声をかけ、飲み屋に連れこむ。しかし時には面倒な手順を嫌がる客を、職安通りの向こう岸に立つ女たちに直接あてがうこともあった。新宿に何千人いるかわからない、そして絶えず入れ替っている女たちを覚えていることはなかった。

「アリガトネ、花サン。コレ」

と、義理堅く差し出された五千円札を押し返して、花田はまったく銀行員のような笑い方をした。

「ノー、サンキュー。俺は、ヤクザじゃない」

女の肩を叩き、花田は路地の行手に盛り上がる歌舞伎町の灯に向かって歩き出した。

四十も半ばを過ぎて、学歴もそれなりの常識もある自分が、なぜこんなことをしているのだろうと思う。大久保の路地を彼の「職場」に向かって歩くとき、いつもそう思う。

今は真剣に考えるべきときなのだろう。まともな職を探し、郊外に二間のアパートを借りて娘を引き取る。この機会を失えば自分は永久にネオンの森を脱け出すことができないという気がする。そしてこれはかなり確かな予測なのだが、娘の高校進学をしおに札幌には新しい家庭が作られるだろう。たぶん三ヵ月後には仕送りも拒まれ、家族の絆は永遠に絶たれる。

ホテル街に立ち始めた女たちに陽気な冗談を言い、地回りのチンピラに声をかけて職安通りを渡れば、一キロ四方の空間に八千軒の酒場が犇《ひし》めくといわれる世界最大のダウン・タウンだ。

そこはこの五年間の彼の職場であり、彼がなりゆきのまま流れついた、空虚で華やかな広場だった。

ポーカーゲーム屋から若い客引《キャッチ》きが出てきた。気付かぬふりでやりすごすと、後を追って肩を合わせてくる。

「おはよう、花さん」

よくもぬけぬけと挨拶《あいさつ》などできるものだ。数日前の明け方、名前も知らぬこの若者に誘われて飲みに行った。カウンターでしばらく世間話をしたあと、ふいに席を立ったまま若者は戻ってこなかった。調子のいいタカリかと思ったとたん、ひどい睡気がきた。とっさの機転でトイレに飛びこみ、有金を靴下の中に隠した。気がついたのは雨の路地裏だった。

「あのなあ。いくら不景気だからって、仲間まで食い物にするなよな」

「え？　何のことスか」

「油断した俺も悪いがね。ま、金にならなくってあいにくだったな。おまえら駆け出しにはめられてマグロになるほど甘くはないよ」

振り向くと、若者はとっくに通りを渡って客に取りついていた。

いかにも出張中という感じの、垢抜けぬ会社員である。旅行鞄《かばん》を提げてこの時間にうろうろしていたのではひとたまりもあるまい。いずれ「五千円ポッキリ前金」のボッタクリバーに連れこまれて、睡眠薬入りの酒を飲まされ、路地裏のマグロになる。

花田はあまり見ることのない小さな夜空を見上げて、一日の仕事の段取りについて考えた。


「高雄」は台湾人のママが経営する、まともな店である。

もっとも「まとも」というのは、客に一服盛ったり、アイスピックを握ったバーテンが出てこないというだけのことで、酒を飲んでカラオケを歌うバーとはわけがちがう。だがともかく、看板も替えず、経営者も変わらずに同じ場所で二年も営業を続けているということだけでも、極めて良心的な店なのである。

細い階段を降り、ドアを押すと、壁回りには二十人もの外国人ホステスが張りついていた。まだ宵の口で客の姿はない。

カウンターに座ると、ママが昨日分の報酬の入った封筒を差し出した。

「最初ノオ客、飲マナイデ帰ッチャッタノ。ゴメンネ」

どうだかわかったものではないが、細かいことは言いたくない。

客引きの取り分は飲み代の半分と決まっている。高雄のような良心的な店では、ボトルを入れても一人あたま二万円が相場である。つまり、客は酒代というより手数料としてそれだけの金を店に落とし、酔うまでもなく好みの女を連れて街に出る。女には泊りで四万円を支払う。そのうち五千円が再び店にバックされ、本人が一万五千円を取り、残る二万円は女を実質的に管理する組織の取り分だ。

だがもちろん、こうした明朗な利益配分も優良店ならではの話である。

「――何だか見かけない子ばかりだけど、気のせいかな」

と、花田は店内を振り返って訊《き》いた。客のつかない女は組織の指示に従って店を移動させられるから、顔ぶれはいつもちがうのだが、それにしても見知らぬ女たちばかりである。

「近イウチ、ガサガ有ルッテ、ビザノ切レタ子ハ茨城ニ行ッタヨ」

「へえ。土橋《どばし》さんの情報にも愕《おどろ》くよな。なんでそんなことまでわかるんだろう」

「土橋サン、ヤクザジャナイカラネ。警察ニモ顔キクシ」

顔が利くもなにも、手配師の土橋はもと警察官だというもっぱらの噂である。

「ソウソウ、花サンニ話ガアルッテサ。上デ待ッテルヨ――ネエ、花サン。変ナ話イヤヨ。頼リニシテルノヨ」

ママは不安げに花田の袖を引いた。土橋の相談は見当がつく。新規の開店があるから、客をつけてくれと言うのだろう。もっぱら客引きに売上を頼るしかない店にとって、それは死活問題なのだ。

「心配することないって。どうせこの不景気じゃ三月ともたないさ」

「デモ、花サンイナイト、ウチモモタナイヨ」

客引きに連れられてフリーの客が入ってきた。ママは愛想をふりまきながらくらいついて行く。ホステスにはビタ一文の人件費もかからないが、その分、家賃が高い。それは何人ものまた貸しを経て法外な金額になっており、しかも毎月きちんと払える店などないから、たいていは高利の金貸しがからんでいる。

ママの懸命の接待は客を不安がらせるばかりだった。


土橋は区役所通りに面した一階の喫茶店で、手帳を覗《のぞ》きながら電卓をはじいていた。夜でもはずすことのないサングラスとカタギの背広がかえって怪しげだ。出稼ぎ外国人の手配師といえば、たしかに収まりの良い風采《ふうさい》ではあるが。

「忙しいってねえ。女の子、茨城に引越したって?」

ぎょっと目を上げて、土橋はサングラスを取った。

「まったく、高雄のばあさんも口が軽いな。茨城じゃねえよ、甲府だ」

本当は茨城なのだろうと花田は思った。

「なに、話って。また新規オープンかい」

「いや、そうじゃねえ」と、土橋は満席の店内を見回してから、花田のためにコーヒーとサンドイッチを注文した。

「面倒な話は勘弁してくれよ。こないだみたいに妙なもの預かってくれとか、そういうのは」

「そんなんじゃねえって」と、土橋は花田の顔を卓の上に招き寄せ、煙草を勧めた。

「ま、預かりものっていやあ、似たようなもんだが――花さん、あんたバツイチって言ってたよな。籍は抜けてるのか」

「そりゃあ全くのチョンガーだけど……やだねえ、それがどうかしたの」

「そうか、ならいい。嫁さん貰ってくれや」

花田はコーヒーを噴いた。

「冗談よせよ、土橋さん。何で俺が――」

「なに、格好だけだよ。形だけな、中国人を嫁にしたってくれや。なあ、五十万でどうだ。今さら世間体を気にする齢《とし》でもなし、汚しついでに、なあ、いいだろう」

話は性急である。薬だの拳銃だの、どんな相談が持ち出されても愕く場所ではないが、さすがの花田も面くらった。

「まずいよ、そりゃ。いくらバツイチのおっさんだって、出世前の倅《せがれ》と嫁入り前の娘がいるんだ」

人並の言いわけをするな、とでも言うふうに土橋は唇をひしゃげて笑った。

「よし、じゃあこういうのはどうだ。格好だけじゃなくってよ、一緒に住んじまえ。これは特例中の特例だぜ」

「やめてくれって、よけい悪いや」

「そうかあ？　いい女だぞォ。飯も作るし洗濯もする。後くされもねえし、そこいらのねえちゃんをたらしこむより、ずっといいぞ」

うまい言い方をするものだと、花田は感心した。女の肌が恋しい齢ではないが、エプロンをかけて立ち働く姿にはそれなりに心を動かされる。

若い衆の大声が店内に響いて、派手な身なりの兄貴分が入ってきた。ちらりと見るなり、土橋は舌打ちをした。

「ともかくよ、ここんとこの締めつけで商売がしんどいんだ。どうしたって回しようがねえ。こっちは命が賭《か》かってるんだ。な、考えといてくれや」

伝票を握って立ち上がると、土橋は今しがた入ってきた大貫禄の席に立ち寄って挨拶をし、夜の街に出て行った。

窓の外には同じそのあたりを根城にする客引きが立ち始めていた。

土橋の切迫した事情はわからぬでもない。浄化作戦が始まってこの方、女たちは片ッ端から路上で職務質問をされるようになった。

店にはいきなり捜索《ガサ》も入る。それもしちめんどうくさい売春容疑などではなく、入管の職員と刑事とがどっと踏みこんで、女たちをごっそり連れて行く。

こうなると縄張り《シマワリ》の錯綜したこの町でいくつもの組織をかけもっている土橋のようなプロの手配師は、たしかに命も賭かるというものだ。

浄化作戦と不景気とエイズの恐怖とのトリプルパンチで、クリスマスを過ぎた年の瀬はどうしようもないぐらい暇だった。


今年もまた大晦日という日がめぐってきた。

元旦が今日の明日であることに変わりはないのに、このあわただしさはいったいどうしたことなのだろう。

何だか自分だけが早瀬にとり残されているような気分になって、花田は起き脱けにマンションを出た。

一番街を抜けて靖国通りを渡ると、いつに変わらぬ日常の新宿がある。花田は慣れぬ浮世にむりやり身をおしこむようにして、書店の店頭で読むはずもないベストセラー本を買い、デパートに足を向けた。

大晦日のデパートは空《す》いていた。さしあたって必要なものは何もないのだが、思い立って娘と息子にプレゼントを買った。

義和《よしかず》にはチタンの腕時計。雅江《まさえ》にはティファニーの銀のペンダント。帰りがてら郵便局に寄って小包で送れば、三ガ日には着くだろう。

妻には――正しくはかつて妻であった女には、考えた末やめた。それだけはたぶん、喜ばれはしない。

紙袋を提げて街に出てから、郵便局が休みであることに気付いた。日曜日なのだった。マンションに戻って気の利いた手紙でも書き添え、宅配便で出そうと思った。

靖国通りの信号待ちの間に、うんざりとした気持になった。正月気分にうかれる街から通りひとつ渡れば、一年中なにひとつ変わることのない、改まった行事も、季節すらもない乾いた街だ。

さしたる理由はなく、しいて言えば未練がましい気持で、花田は交叉点のコーヒー・ショップに入った。近ごろ流行のたった二百円のコーヒーは、一杯千円もする歌舞伎町の喫茶店のそれよりずっとうまい。

ぼんやり人混みを見つめていると、自然に娘と同じ年頃の少女に目を奪われる。バスケット部で地区大会に出たと言っていたから、きっと父よりも母に似て背が高いのだろう。手紙を読めば、学校の成績も良いことはわかる。別れたころから月の初めに決まって書いてよこす手紙の筆跡も、一葉ごとに上達していた。

どうしたものだろうか、と花田は懊悩《おうのう》した。娘は母に抗っているにちがいなかった。その胸の中で、五年前に別れたきりの父の姿は、きっと神のように膨れ上がっているのだろう。

娘の意思を自分が拒否するのは、神が祈りを拒むことと同じなのかもしれない——。

そのときふと、信号待ちの雑踏の中に、花田は偶然では説明がつかないものを発見した。

息子である。革ジャンパーの肩をすくめながら、学生ふうの仲間たちとガードレールに腰を下ろしている。小造りな、目鼻だちの整った面ざしは、五年前とどこも変わってはいなかった。

花田は街路に飛び出した。

「よっちゃん、おい、よっちゃん」

満面で笑いかけながら花田は手を挙げた。と、息子は一瞬ぎょっとして腰を浮かせ、身を翻して歩き去ろうとした。追いすがってスクランブルの中で腕を摑《つか》んだ。

「なんだ、正月は帰らないのか」

「帰るよ。切符がとれなかったんだ」

「ちょうどよかった。これ、おまえとマアちゃんに。送ろうと思ったら郵便局が——」

みなまでも聞かずに、息子は手をふりほどいて人混みに紛れ入った。

背の高い友人が振り返って、ふしぎそうに会釈をした。

(あれ、オヤジかよ)

(ちがうよ、人ちがいだろ)

そんな囁《ささや》きが聴こえてくるようだった。

その夜、花田は仕事に出た。

大晦日は荒仕事が利く。銀行が休む分だけ客の懐は温かく、警戒心も薄い。歌舞伎町に不案内な客を探し出してボッタクリバーに放りこむには、一年のうちで一番まちがいのない夜だった。

マグロのでき上がるまでの間、親しい店に挨拶回りをし、さんざふるまい酒にありついてから高雄に立ち寄った。

店はふしぎに賑《にぎ》わっていた。カウンターに座ると、ママは不機嫌そうに水割りを差し出した。

「なんだこりゃ。大繁盛じゃないの」

「オ客ジャナイヨ。昭和会ノ人――」

いらいらと呟き続ける愚痴は中国語になった。つまり今年の打ち上げに、ただ酒を飲まれていることが不愉快で仕方がないらしい。

「しょうがないじゃないか、一年に一度ぐらい。義理ってこともあるだろう」

「ソレ、ダメヨ。日本人ノビジネス、ソウイウノ、多スギルヨ」

さらに言いかけて、ママは口をつぐんだ。隣りの止まり木に土橋が腰を下ろした。

「まったくよォ。大晦日にタダ酒タダマンだと。悪いね、ママ」

だ。

「ドウイタシマシテ」

土橋はママの顔を招き寄せ、はだけたドレスの胸元に折り畳んだ一万円札を何枚かつっこんだ。

「アラ、イイノ？」

ママはとたんに別人のような笑顔をホールに向け、カウンターから潜り出た。急に金切声を張り上げて客の手を引き、カラオケのデュエットを始める。

しらけた笑いが起こって、やくざたちは続々と好みの女を連れて店から出て行った。

「へへっ、はなっから機嫌よくしてりゃ、タダ酒もそう飲まれなくってすむのにな——ところで、花さんよ」

と、土橋は椅子を傾けて囁きかけた。

「この間の話だけど、どうだ。考えといてくれたか」

忘れていたことである。しかし改めて言われたとたん、花田の心は揺らいだ。

「なあ、土橋さん。俺、カタギに見えないか」

答えをはぐらかされて、土橋はグラスを呷《あお》った。

「なんだよ、いきなり」

「実はな、今日バッタリ倅と出会ったんだ。そしたら、しかとされてな」

土橋は少し考えるふうをしてから、声を立てて笑った。

「ハハッ、どうもクスブッた顔してると思ったら、そんなことか。ガキなんてのァ、みんな同じさ。親のみてくれがどうってわけじゃねえ。年頃になりゃどこのガキだってしかとすらァ」

「そんなものかな」

「あたりめえだよ。わかったろう、出世前だの嫁入り前だのって、そんな心配はガキどもにしてみりゃうっとうしいだけなんだぜ」

「土橋さん、子供いるのか」

ふん、と土橋は鼻で嗤《わら》った。

「ま、とりあえず味見してみろや。きっと気に入る」

言いながら土橋はホールを振り返った。

「あれえ、今さっきまでいたんだけどなあ。売れちまったか」

「なんだ、高雄にいる子なのか」

「いや。ふだんはシルビアにいる。こないだ赤坂から回してきた女だから、花さんはたぶん知らねえよ。たいていは宵の口に泊りの客がついちまうからな」

そこで花田と土橋は顔を見合わせた。偽装結婚をさせてでも確保しておきたいほどいい女なのだと、土橋は暗に言ったことになる。

「ま、人生割り切って行け、割り切って。女房子供がどうのなんて殊勝な心がけならよ、誰もこんな暮らしはしてやしねえんだ。そうじゃねえかい、花さんよ」

　土橋はウイスキーを一息に飲み干すと、毒を吐きすてるようにそう言った。

　ボッタクリバーから分け前を集めて大久保のマンションに戻ったのは、ほどなく年も越えようという時刻である。

　とにもかくにも気分は紛れた。あとは熱い風呂に入って、冷や酒を飲みながら空騒ぎのテレビでも見ていれば、年は自然に明ける。

　鼻唄を唄いながら煤《すす》けた階段を昇り、外廊下を曲がったとたん、花田は足を止めた。

　ドアの前に人影が蹲《うずくま》っている。ホテル街のネオンが膝にうつ伏せた髪を彩《いろど》っていた。

「どなた？」

　女は顔をもたげ、薄っぺらなコートの襟《えり》をかき合わせて立ち上がった。

「コンバンワ。花サン？」

　拙《つたな》い言葉で女は訊《たず》ねた。

「なんだ。ずいぶん気の早い話だな。泊りじゃなかったのか？」

　とっさのことで、思いついた言葉が咽《のど》にからみついた。返事がないのは、たぶん意味が通じなかったのだろう。

「花サン。花サン」

　女は大きな紙袋を両手に提げて歩み寄り、言いわけでもするように紙きれを差し向けた。ぞんざいな道順が書かれてあった。

「べつに今日の今日じゃなくたって、いいのにな」

少し考えてから、女は花田の疑念を解くように言った。

「オ客サン、帰ッタ」

考えてみれば、やくざ者も正月ぐらいは家で過ごすのだろう。女はチョイの間をすませてから店に戻り、土橋に命じられてここにやってきた、というところか。

「ヨロシク、花サン」

土橋は花田の本名を知らなかったのだろう。紙片には片仮名で「ハナサン」と書いてあった。女がそう言ってぺこりと頭を下げたとき、花田はむしょうにおかしくなった。笑いごとではないが、結婚という人生最大の儀式がたとえ紛《まが》いものであるにせよこんなふうに始まるのは、たまらなくおかしい。

こみ上げる笑いを嚙み殺して花田は部屋の鍵を開けた。

「まあ、入れよ。良くはわからんが、とりあえず今日からここがあんたの家らしい——そうか、だとするとスペアキーを作らなくちゃならないな」

女は答えない。日本語をほとんど理解できぬらしかった。面倒だな、と花田は思った。言葉がしゃべれなくとも、フィリピーナや台湾人ならかたことの英語でも意思は伝えられる。しかし英語教育というもののない中国人には、たとえば「スペアキー」という単語さえ通じないのである。

「寒かったろう。ずいぶん待ったの？」

勝手にしゃべりながら灯りをつける。上りかまちに佇《たたず》んだままの女を振り返って、花田はひやりとした。

雇う側にとってかけがえのない女であることは一目瞭然《いちもくりようぜん》だった。

花田は急にうろたえた。視線を外してストーブをつける。

「あたってろよ。いま風呂わかすから」

バスルームに入りかける花田の手を、女は引き戻した。私がやるから、というそぶりをする。コートも脱がず、ストッキングの濡れるのもかまわずに、女はバスタブを洗い始めた。

花田はテレビをつけ、出来合いの酒肴を並べた。湯の満たされるまで、女はバスルームから出てこなかった。何だか魂のない、精巧な人形が動き回っているような気がした。

やがて所在ない微笑をうかべたまま花田を手招き、風呂が沸いた、というふうに指で示す。

「先に入れよ。遠慮するな。プリーズ。お先にどうぞ」

とんでもない、というふうに女は首を振った。玄関に置いた紙袋を部屋の隅まで運び、少ない荷物を恥じるようにコートで隠す。

「飲むか」

女は笑って肯《うなず》いた。間近で見る笑顔は目が合ったとたんに天井を仰がねばならぬほど美しい。

「ウイスキーかな」

日本酒がいい、というふうに女は一升瓶を指さした。

とりあえず理由のよくわからぬ乾杯をしてから、花田は思いついてメモ用紙とボールペンをテーブルに置いた。言葉の通じぬ中国人とは、筆談という奥の手がある。

花田章、と名前を書くと、女は字面を追って呟いた。

「ホワ、ディエン、チャン」

「は、な、だ。はなだあきら。わかるか」

「ハ、ナ、ダ？」

女は嬉しそうに花田の手からボールペンを取り上げ、柔らかな美しい字体を並べて書いた。

「李《リィ》、玲《リン》、明《ミン》」

快い鈴を振るような声で女は言い、ふいに「李」の字を乱暴に塗りつぶした。とっさに花田は女の手を押さえた。

「やめろよ。俺はまだ決めたわけじゃない」

精妙な力で女は花田の指をふりほどき、消された苗字のかわりに、「花田」と書き添えた。真顔になってボールペンを置き、女は花田に向かって手を合わせた。

「ハナダ・リンミン。花サン、ハナダ・リンミン、ヨロシク」

願うような祈るような、女の真剣なまなざしに出会ったとき、花田の胸は突然かっと熱くなった。女の身の上を考えたわけではなかった。これは――家族だ。

「ハナダ・リンミン。花サン、ヨロシク」

「そうじゃない。ハナダ・レイメイだよ」

玲明はとたんに体中の息を吐きつくすような深い溜息をついた。

「ハナダ・レイメイ。対《トエ》。アリガト、花サン」

花田は自分の名前の脇に「46」と書いた。

「いくつなの。齢は、いくつ?」

玲明は「27」と書き記した。

ともかくこれで、女が二十七歳の玲明という名の中国人であることだけははっきりとした。

酒の進むほどに玲明は饒舌《じょうぜつ》になった。少しでも自分のことを知っておいて欲しいとでもいうように、簡略化された意味不明の漢字をメモ帳に並べるのだった。

どうやら自分の生い立ちやここに至る経緯を説明しようとしているらしい。だが花田にとってそんなことはどうでも良かった。むしろ知りたくはなかった。たとえどれほど二人の間に意思が通じ合おうと、すべては偽りの姿にちがいないのだ。

花田は玲明のメモから目をそむけ続けた。歌合戦が終わり、うって変わったしめやかさで新しい年が忍び寄ってきた。玲明がペンを置くと、迫りくる時の重みが二人の上に被いかぶさった。

年が明けた。

「新年好《シンニエンハオ》！」と、玲明は微笑んだ。

「あけまして、おめでとう」と、花田も言った。「さあて、寝るか」

通販で買ったパイプベッドから毛布だけを引き抜いて、花田はロフトに放り上げた。

「あんたは、ここで、寝なさい。俺は、上で、寝るから」

手ぶりをまじえてそう言うと、玲明はどうして、というふうに首をかしげた。

「そういう、気には、なれない。気を、つかわなくて、いいよ」

この説明は難しかった。手を引いてバスルームに押しこむ。しなやかな体が湯にひたる姿を想像しても、欲望は湧かなかった。

やがて玲明は丈の長いTシャツを身につけてバスから出てきた。髪を上げると、小さな形のよい顔の輪郭がいっそう際立った。

バスルームには女の匂いが満ちていた。なるたけ長い時間をかけ、ふだんは着たためしのないパジャマをきちんと着た。部屋の灯りは消えており、新都心の摩天楼が窓の中にすっぽりと聳《そび》えていた。

玲明はベッドの端に身を縮めて寝ていた。レースのカーテンが斑《まだ》らに影を落とす床の上に、Tシャツが脱ぎ捨てられていた。

足音を忍ばせてロフトの梯子を昇りかけると、玲明は身を起こしてパジャマの裾を引いた。

「いいんだよ、正月ぐらい、ゆっくり、ひとりで、寝なさい」

玲明は首を振り、また胸の前で手を合わせた。夫婦としての既成事実を作ってしまおうというのだろうか。だが無言で懇願し続ける玲明のまなざしは、悲しいほど一途だった。

「大丈夫だよ。俺は、嘘は、つかないから」

思いついて、花田は床に投げ出したままのデパートの包みを開けた。娘に送るはずだったプレゼントの箱を、抱えこんだ夜具の膝に置いた。

「指輪じゃないけど、これ、婚約のしるしだ」

玲明はきょとんとして小箱を受け取り、リボンを解いて中国風の愕きの声を上げた。

「かけてごらん。きっと似合うよ」

銀のペンダントを嬉しそうに首にかけると、玲明は思いがけずに豊かな、輝くほどに白い胸を花田に向けた。

接吻は不幸の味がした。

玲明の不器用な抱擁に応えながら、この女はいつも男のなすがままにされているのだろうと花田は思った。

組み敷いた玲明の体は、まるで処女のような硬さだった。

目覚めたのは元日の午《ひる》近くである。

長いこと忘れていた、深い快い眠りだった。玲明は毛布を肩から羽織って、ベッドの脇に座っていた。

「新年好、花サン」

「やあ、おはよう。何してるんだ」

玲明は楽しげにジグソーパズルを組み立てていた。いつか出がけに壊したまま、触る気にもならずに放り出しておいたものだ。

「这是什么《チャシーシェンマ》?――コレ、ナニ?」

完成すればどういう図柄になるのか、と訊ねているらしい。

「家だよ。雪の中の丸太小屋。こう、煙突がついてて、樅《もみ》の木に囲まれたログハウス」

差し出されたメモ帳にお道化《どけ》た絵を描く。たしか窓には暖かな灯がともっていて、テラスには犬が寝ていた。家の脇には橇《そり》が置かれ、轍《わだち》が半ば雪に埋れて画面の手前まで続いていた。

「好《ハオ》――」と、玲明は夢見るように微笑んだ。

「作ってくれるのか。何日もかかって、やっとできあがったのに、蹴とばして壊しちゃった。バラバラ。俺はもういや。ウンザリ」

二人はしばらくの間、ひとつの毛布にくるまってパズルを作った。黙りこくったままなのに、何だか語り合いながらそうしているような気がした。

携帯電話が鳴った。「おめでとうございまあす」と、いきなり娘の声が耳にとびこんで、花田はとっさに玲明に背を向けた。

〈あのねえ、おとうさん。さっきおにいちゃんから電話があって、あした切符がとれたから帰ってくるって〉

「そうか。良かったじゃないか」

義和はたぶん、父と出会ったことを口にはしないだろう。

〈電話でね、ちょっと相談があるって言ったら、怒鳴られちゃった。おとうさん、この間の話、おにいちゃんにしゃべったりしてないよね〉

「知らないよ」

〈誰にも迷惑はかけないって言ったんだけど〉

「おにいちゃんはとうさんのこと嫌いだからな。そりゃ反対するに決まってるさ」

〈おとうさんは応援してくれるよね。ねえ、おとうさん〉

そのとき、奥歯に石を嚙みつぶしたように、花田は思い当たった。娘は自分の力で父親をつなぎ止めようとしている。正常な家族の形を取り戻そうとしているにちがいなかった。

「かあさんは？」

〈あいつと初詣に行ったの。私も誘われたんだけど……あ、帰ってきたみたい。切るね、おとうさん。ごめんね〉

電話はあわただしく切れた。

玲明の肌が背中にもたれかかった。二人は背を合わせたまま、同時に重い溜息をついた。

「――オクサン？」

　女の直感というやつだろうか。

「いや。女房とは離婚した。今のは娘。わかるか、俺の、むすめ」

　どういうわけか、離婚という単語を玲明は知っていた。ほっとしたように振り返り、花田の肩に頬をあずけた。

「私モ、リコン。子供、イチ」

　少し考えてから、花田はぎょっと顔を起こした。ガラスのテーブルに玲明の俯《うつむ》いた横顔が映っていた。

「子供、置いてきたのか。バイバイ？」

　小さく手を振ると、玲明は肯いた。

「ベイジン。シャンウーメン。子供、イチ」

　ベイジンは北京のことだろう。シャンウーメンは住所だろうか。

　泣かせてはならないと、花田は勝手に自分のことをしゃべった。

「俺は、男イチ、女イチ。知ってるか、札幌。北海道の札幌だ」

「サッポロ。対《トェ》。サッポロ」

　腕を抱えて寒がるふりをする。掌《て》を上げて空を見る。札幌が雪の降る寒い北の町であることを知っているらしい。

「ベイジンも、寒いだろう。ブルブル。雪、降るのか」

玲明は肯いて、窓の外に遠い目を向けた。

不法就労者の中には、擬装離婚というそら怖ろしい計画を立ててまでも日本にやってくる人妻がいるという。そんな噂はどこかで聞いたことがあった。

「離れていると、家族はだめになるぞ」

意味のわかるはずはないが、花田は老婆心からそう言った。自分と妻も、初めは借金から家族を守るための擬装離婚だった。少なくとも自分はそのつもりだった。だが複雑な事情の何にも増して、時間と距離とが離婚を成立させてしまった。

玲明は泣かなかった。

花田は天井を見上げて考えた。四万円の泊り相場のうち、女が手にできるのは一万円か一万五千円である。そこから食費や共同で借りているアパートの家賃を差し引けば、どううまく稼いでも月に十万——そのぐらいのものしか残りはすまい。

だが、国の家族にしてみれば、その十万の仕送りさえ、信じられないほどの大金なのだろう。

花田がこの五年間、札幌に毎月送り続けてきた金も、同じ十万円だった。

細い骨を軋《きし》ませて、玲明はジグソーパズルに向き合った。

初めて許し合った若い恋人同士のように、花田と玲明は時を貪《むさぼ》り合い、気がつけば夢のような三ガ日が過ぎていた。

土橋がマンションを訪れたのは、四日の午後である。

「おい、電話通じねえぞ。いつまでたっても姿見せねえから、妙な想像しちまった。ああよかった」

「新年好《シンニエンハオ》!」と、玲明は陽気に笑った。

「はいはい新年好。さあ、区役所行こうな。女の書類は揃えてある。まあ多少は強引だが、だいたいセーフだろう。信じられるか、花さん。年末年始で七組だぜ。俺ァ新宿一の仲人《なこうど》だな」

「七組!」

深いことは訊くなというふうに、土橋は花田を押しのけ、けっこう流暢《りゅうちょう》な中国語を操って玲明に何かを説明した。

「ばっかじゃねえか、おまえら。正月から夫婦そろってジグソーパズル。もうじき完成だな。さ、こっちも早いとこ終わらせよう」

土橋の車の中で、玲明はずっと黙りこくっていた。

区役所はまるで国際線ロビーのような賑わいだった。カウンターの中を各国語の通訳が忙しく走り回り、ホールは肌の色のちがう人々で溢れ返っていた。

婚姻届を出すにあたって、懸念していた障害は何もなかった。サングラスをはずしてまったくカタギの会社員になりすました土橋は、親しげに語りかけてくる外国人たちを無視して、熟練の仲人のように二人の結婚を成立させた。

「まったくよォ、こういうときお役所仕事ってのは有難えよな。おめでとうございます、でやんの」

凶行現場から逃れるように、区役所を後にしてたそがれの人混みに紛れ入ると、花田はあたりを見回しながら訊ねた。

「で、これから俺たちはどうすりゃいいんだ」

「べつにどうってこともねえよ。キャッチとホステスが惚れ合って所帯を持った、と。俺は相談に乗って力を貸したんだ。誰に文句をつけられることもねえさ」

「それじゃいっそ専業主婦にさせるか」

「冗談よせ」と、土橋は声をあげて笑い、封筒に入れた札束を花田に手渡した。一歩さがってついてくる玲明の悲しい視線を背中に感じた。

「悪いね、いいのか」

「いいのかって、べつに俺の腹が痛むわけじゃねえもんな。女の借金が上乗せになるだけだ」

「借金って、いくらぐらいあるんだ」

「知るか。昭和会の事務所へ行って訊いてみたらどうだ。なんだ花さん。耳を揃えて身受けするってか。まさかね」

「借金を返しながらでも、国に仕送りできるのかな」

「そりゃおたがいビジネスだからな。きょうびのヤクザは悪かないよ。ちゃんと仕送り分までは保障してるさ」

花田は土橋の袖を引いて立ち止まった。そこまで知れば、どうしても確かめておきたいことがあった。

「なあ、土橋さん。借金がチャラになったら、あいつは自由になるのか」

土橋は剣呑《けんのん》な、刑事のような顔になった。

「どういう意味だよ、花さん」

「だから――いつかは専業主婦になれるのか、ってことさ」

真面目に答えようとして、土橋は何度も口ごもり、思い屈したように悪辣《あくらつ》な高笑いをした。

「借金ったってハンパじゃねえぞォ。なんたって北京ルートは複雑だからな。そりゃいつかはそうなるだろうよ。計算上は」

土橋は玲明の肩を押して、花田から遠ざかった。

「体がもてばの話だよ。そりゃ花さん、あんただって俺だって同じことだろ。何年ここで飯食ってんだ、明日のことを言ったら鬼が笑うぜ」

憔悴《しょうすい》しきった玲明がスペアキーでマンションのドアを開けたのは、翌日の午近くだった。

「タダイマ」と言ったなり、玲明は花田の顔を見ようとはせずに長い間シャワーを使っていた。

「どうした。気分でも悪いのか」

呼びかけてバスルームを開けると、玲明はシャワーに背を打たせたまま、顔を被って泣いていた。

「ゴメンナサイ。花サン、ゴメンナサイ」

どこで覚えたものか、玲明は洗場に額をこすりつけて、日本人がそうする土下座をくり返すばかりだった。

花田にとっても狂おしい一夜だった。だが、玲明は見知らぬ男に抱かれながら、胸のはりさけるほどの痛みに耐えてきたにちがいなかった。

「そんなこと言ったって、仕方ないじゃないか。大丈夫、俺は、何とも思っちゃいない」

「私、オクサン。花サン、オクサン」

「わかってるって。もう泣くな、泣いちゃ、ダメ」

玲明の思いがけない純情は花田の身に応えた。

事件が起きたのは、そんな日々が何日か続いた、冷たい雨の降る晩のことだった。

客を物色しながら区役所通りを歩いていると、喧《けたたま》しいサイレンを鳴らして救急車が走り過ぎて行った。

野次馬にまじって花田も走った。救急車が止まったのは高雄の前だ。

「またハジかれたってよォ、くわばら、くわばら」

どよめきの底から担架がかつぎ上げられてきた。続いて、狂ったように中国語をわめきちらしながら、二の腕に包帯を巻いたママが救急隊員に引きずられてきた。

「高雄のバアさん、撃たれたのか。担架の上は誰だ、客かな」

客引きの仲間が青ざめた顔を花田に向けた。救急車の寝台に隊員がのしかかって、あわただしく心臓マッサージを続けている。

「よう、花田」と、顔見知りの刑事が眉庇《まゆびさし》をかざして近寄ってきた。客引きたちは関わりを避けて逃げ去った。

「おめえ、店の中にいたんか？」

「いや、今きたところです」

「そうか、そりゃ何よりだったな。高雄のバアさん、流れ弾に当たっちまってよ」

「誰です、撃たれたのは」

救急車がサイレンを鳴らして走り去った。

「土橋だよ。ありゃだめだ。カウンターに腰かけたまま、ここをズドンだもの」

と、刑事は花田の傘の下に入りながら首筋を撫でた。

「ちょっくら話を訊かせてくれ」

否《いや》も応《おう》もなく、刑事は花田をパトカーに押しこんだ。

「土橋についてよ、知ってることがあったら教えてくれ。やっこさん、ここんとこ事件《ヤマ》踏んでたろう」

「ヤマ――知りませんよ。そう親しくもないから」

「てめえ」と、刑事は眼を据えた。「持ってかれたっていつもみてえに一泊二日だとタカくくってやがるな。やい花田、道交法だけがてめえらをパクる法律じゃねえぞ」

「何も知りませんよ、ほんとに」

「ほう、そうかい。てめえ、ここんところボッタクリ専門だそうだな。日に三つ四つはマグロを転がしてるそうじゃねえか。何なら被害者《マルガイ》呼んで首実検したろうか。被害届は一束も出てるんだぞ」

欺《だま》す方も悪いが欺される方も悪い、というのは歌舞伎町の不文律だった。だからボッタクリバーが積極的に取締られることはないが、警察の握る被害届は時として情報収集のための有効な切り札になった。

「おめえ、戸籍貸したろう」

口ごもる花田に向かって、刑事はいきなり言った。

「貸したなんて、いやな言い方しないで下さいよ、俺はただ――」

「ただ、どうした。なめんなよ、花田。警察も区役所も、おんなじ役場だってこと忘れんな」

「そりゃ民事だろうが、旦那。筋がちがうよ」

刑事は濡れたコートの肘《ひじ》で花田の顎《あご》を打った。

「二言目にゃ民事民事と、てめえら蟬か。いいか花田、もともと俺たちとヤクザ者の間にゃ、そんなごたいそうな理屈はありゃしねえんだ。土橋のクソッタレはそんなことも知らずに乱暴なマネしやがるから、こうなった。わかるか、ルール違反なんだよ」

「ルール、ですか――」

「そうさ、この街じゃ法律違反はめったにパクられもしねえが、ルール違反は殺される。ああいうのを身から出た錆ってんだ」

刑事は手錠を取り出して、押し黙る花田の膝を叩いた。

「捕《と》ったろうか、花田。脅しじゃねえぞ。常習詐欺で二年や三年落とすのァわけもねえ。キャッチなんてのァ男のクズだ。歌舞伎町のゴミなんだよ」

その言葉は応えた。パトカーの屋根を叩く冬の雨に、花田は体を慄《ふる》わせた。

花田はことの経緯をありていに語った。

玲明の名を口にするたびに胸が詰まった。このことで玲明が追及されるはずはあるまい。だが刑事の手帳に名前を書きこまれるほどのことを彼女がしたとは、どうしても思えなかった。

「女房は、どうなりますか」

「女房？　――誰の」

「俺の、女房ですよ。良く知らないけど、俺の女房だから」

刑事は声高に笑い、運転席の巡査も振り向いて笑った。

「まあ、笑いごとじゃねえな。安心しろ、俺たちに手出しはできねえよ」

「そうじゃなくって、この先どうなると思いますかね」

刑事は雨足のつのる街路に目を向けて答えた。

「そうなあ――土橋がああなった以上、少なくともここで商売はできねえな。まわりがさせやしねえさ。そんなこたァ昭和会が一番良く知ってるだろ。なごりを惜しむんなら、せいぜい今晩のうちだぜ」

パトカーから降りたとたん、花田は胸が悪くなって雨の路上に吐いた。慄える背に傘をさしかけて、刑事はハンカチを手渡した。

「おめえのやったことは、ちっとも女を助けたことにゃならねえ。それだけァたしかだ」

「どういうことです？」

「ばかだね、おめえは」と、刑事は野次馬に目を配りながら呟いた。

「これでもう入管は手出しできねえ。強制送還もねえ。ということは、だ――日本中の昭和会のシマをたらい回しにされて、体がぶっこわれるまでコキ使われるってことさ。まあ、どこかでくたばったら、死体《おろく》ぐれえは引き取ってやれ。そんなことより、当分ここらでウロウロするな。てめえが女の相方だってこたァ、ヤクザどもはみんな知ってる」

刑事は花田を立ち上がらせると背中を押した。

「それから、余計なことだが――」

と、刑事は耳元で囁いた。

「昭和会のバスは毎晩十時に出るからな。中央公園発地獄行きの定期便だ」


部屋の灯りはついていた。

ガスレンジの上には花田の教えた通りの味噌汁がまだ湯気を立てており、小さな炊飯器がことことと鳴っていた。

「レイメイ――」

手荷物がないのを確かめてから、花田はいるはずのない妻の名を呼んだ。

筆談をかわし合ったぶ厚いメモ帳に目を止める。走り書いた漢字の意味はわからない。ただ最後の一行に、「再見　玲明」と書かれていた。

花田は立ちすくんだまま、重い溜息をついた。完成されたジグソーパズルがベッドの上に置かれていた。整えられた掛蒲団に尻の形の窪みがあった。許された時の間に、玲明はそれを作り上げて行ったにちがいなかった。

花田は部屋を飛び出した。やり場のない感情が呻き声になった。

流しのタクシーを捉《つか》まえる。いつしか雨は粗い霙《みぞれ》に変わっていた。

行き先を告げると、運転手は訝《いぶか》しげに言った。

「中央公園ったたって広いけど、中央公園のどこ？」

「一周してくれりゃわかる。人が待ってるんだ」

運転手は新宿になだれこむ渋滞をかわして、柏木の裏道を走った。低い雲に被われた新都心の摩天楼が、時を刻むように赤いランプを点滅させていた。

ふと、このさき自分はどうすればいいのだろうと思った。

明日もあさっても、とまどい立ちすくむ自分のことなどお構いなしに、時間は過ぎて行く。決して待ってはくれない時の流れが、ひどく無情に、理不尽に感じられた。

何人もの自分が、今でも時間の早瀬のただなかに、行くことも退ることもできずに佇んでいるような気がした。あわただしく故郷を捨てた日の、千歳《ちとせ》空港のロビー。初めて足を踏み入れた歌舞伎町の、広場の噴水のほとり。まるで付き添いの義務を果たしたように、あっけらかんと女が去って行った上野駅。息子に無視されたスクランブルのただなか。

もう一人の自分が、今もその場所に立ちすくんでいるような気がした。

タクシーは速度を緩めて、中央公園の外廓を回った。

十二社《じゅうにそう》通りの神社の前に、マイクロバスが止まっていた。ゆっくり行き過ぎると、張り番らしい若者が首を回して見送った。

「止めてくれ、ここでいい」

タクシーを降りると、花田は見覚えのある若者に近寄った。

「何だよ、あんた。こんなところで何してんだよ」

若者は花田よりも、花田の周囲の闇に気を配っていた。

「あの中に、玲明って女がいるだろう。会いたいんだが」

「なに寝ぼけたこと言ってんだよ、おっさん。女の名前なんていちいち知るか」

構わずにバスに向かって歩き出す花田の襟首を、若者は引きずり寄せた。闇の中から何人もの男が走り出てきた。

「なんだこいつ、キャッチじゃねえか。何やってんだ、こんなところで。おいコラ、何だってんだよ」

いきなり腹を蹴り上げられて、花田は水溜りに転がった。マイクロバスは路上の騒ぎをよそにエンジンをかけた。

「花サン花サーン！」

動き出したバスの窓を引き上げて、玲明が叫んだ。花田は若者たちを振り払い、ガードレールを飛びこしてバスを追った。

「再見《ツァイチエン》、花サン。ゴメンネ、再見！」

「ああ、再見。手紙くれ。わかるか、て、が、み」

窓から身を乗り出して、玲明は悲しげに首を振った。住所を知らないのだろうか。それとも手紙など書きたくはないのだろうか。いや、書きたくても日本語が書けない、と言っているふうに花田には思えた。

　ふいに玲明はブラウスの胸をはだけ、ペンダントを首から引きちぎった。

　速度を増すバスを追って、花田は懸命に走った。

「花サン、花サン」

「いいんだ。返さなくていいんだ。それはあんたにやったんだから」

「花サン、花サン」

「いいんだって、そんなもの」

「花サン、花サン」

　言葉は通じなかった。玲明は花田に向かってペンダントを投げた。

「しっかり仕事しろな。体に気をつけて、頑張れな」

　思いつくままの月並みな別れの言葉が、すべて「死ね」と女を罵《ののし》ったように思えて、花田は立ち止まった。

「花サン、花サン」

　声が届かなくなると、玲明ははだけた白い胸の前に手を合わせた。

「そんなのじゃないよ、玲明」

　花田は独りごちて、ペンダントを拾い上げた。霙は雪に変わった。

　玲明がペンダントを投げたのには、深い意味はないのだろう。もしかしたら男がそれを取り返すために、後を追っていると思ったのかもしれない。

降りしきる雪の中で、花田はひとりになった。


公園の東屋《あずまや》に登って、花田は煙草をつけた。

「旦那さん。すまねえけど、一本めぐんでくれねえか」

いつの間にやってきたのだろうか、浮浪者が七輪を囲んでいた。煙草を箱ごと渡すと、かわりに紙コップに入った酒が回ってきた。

「お口には合わんだろうけど、体はあったまるから。まんざらでもないよ、何ならこっちにきて一緒にやろうじゃないの」

そそり立つ摩天楼を見上げる。足元のここからでは、都会の夜の標《しるべ》にもならない。無意味で巨大な墓標だと花田は思った。

自分の名を呼び続ける玲明の声が、耳について離れなかった。コップに顔を近付けて、正体不明の酒のむせ返るような匂いに花田はひるんだ。

「悪かねえって。欺されたと思ってやってみな。癖になるから」

東屋のぐるりには降りしきる牡丹雪の帳《とばり》が立てられていた。じっと摩天楼を見つめていると、自分と浮浪者を乗せた石造りの舟が、夜空に向かってせり上がって行くような気分になった。

ポケットで電話が鳴った。

「もしもし、花田です」

〈はいもしもし、こちらも花田です〉

遥かな闇を越えて、娘の明るい声が届いた。おどけた挨拶の重みに、花田はつなぐ言葉を失った。

〈どうしたの、おとうさん。黙っちゃって〉

「マアちゃんこそ、黙っちゃってどうしたんだ」

〈あのね――〉と、娘は声を曇らせた。

〈おにいちゃんがね、絶対だめだって。おとうさんも喜ぶわけないって〉

黙ってはならない。だが、返す言葉はどうしても見つからなかった。

〈何とか言ってよ、おとうさん。私ね……私ね、苗字かわっちゃうんだよ。あいつがそうしろって、そうしなきゃだめだって〉

「かあさんの苗字にしたらいいじゃないか」

何という冷淡な物言いだろうと花田は思った。

〈それだっていやだよ。ずっと花田雅江だったんだから。でも、花田だけはだめだって、幽霊と一緒にいるみたいでいやだって、あいつが。ひどいよね、ひどすぎるよね、おとうさん〉

話しながら娘の声は尻すぼみになった。

「マアちゃん。わがまま言っちゃだめだ。そっちの人の言う通りにしなけりゃ」

〈私、家出するよ。おとうさんのところへ行くからね、そしたら責任とってよ〉

娘のこの強さは、いったい誰に似たのだろうと思った。とまどいながら、どうしても言わねばならないことを、花田はようやく口にした。

「だめだよ、マアちゃん。おとうさんは今とてもそれどころじゃないんだ——おにいちゃんの言う通りなんだよ」

〈どうして、なんでよ。ひどいよおとうさん。そんなのないよ〉

娘は泣いている。祈りを拒まれて、泣いている。泣き声の向こうに人の気配がした。テレビだろうか。いや、たぶん最後の話し合いのはてに、孤立無援の娘は電話をかけてきたのだろう。

桟橋と艀《はしけ》とを繋ぐ一筋のリボンのように、娘の泣き声はか細く揺れた。

ちぎれたペンダントを拳に握りしめて、花田は勇気をふるった。

「とうさんは、もうおまえのとうさんじゃないんだから。そんなことを言うんなら、二度とお金は送らない」

〈いらないよ、私、そんなものいらないよ〉

「もう電話もしちゃいけない。いいね、マアちゃん。とうさんはおまえの電話がいやなんだ。迷惑なんだ」

呆然とした沈黙の後に、電話は静かに切れた。

札幌も雪だろうか。

花田は胸を抱えて泣いた。

「なあ旦那さん、こっち来て仲間に入んなよ」

浮浪者が見かねたように、しみじみと誘った。

紙コップに口をつける。まんざら悪い味ではないと、花田は思った。

初出誌

踊子　「小説宝石」平成九年六月号
スターダスト・レヴュー　「小説宝石」平成七年十月号
かくれんぼ　「小説宝石」平成八年六月号
うたかた　「小説現代」平成九年四月号
迷惑な死体　「小説現代」平成九年四月号
金の鎖　「小説宝石」平成十年一月号
ファイナル・ラック　「小説ｎｏｎ」平成八年五月号
見知らぬ妻へ　「小説宝石」平成七年二月号

単行本

平成十年五月　光文社刊

解説　類型を使って類型をつき破る試み

橋爪大三郎《はしづめだいさぶろう》
（社会学者）

本書に収められた八篇の最後、「見知らぬ妻へ」では、ジグソーパズルが効果的に登場する。主人公の花田章《はなだあきら》と、偽装結婚した「妻」の李玲明《リイリンミン》が、ばらばらになったピースをつなぎ合わせてゆく。通じそうで通じ合わない二人。かと言って、このまま離ればなれとなるのではあまりに切ない――

「踊子《おどりこ》」から「見知らぬ妻へ」までの八篇も、そうしたジグソーパズルのピースであるとみえる。時代や場所を区切られ、それぞれの事情に置かれた男女が、大切な他者につながろうとしてつながり切れない、孤独のなかにもがいている。この世の中は、そんなふうにしか出来あがっていない。そうしたやるせない諦念《ていねん》と寂寥《せきりょう》感が、読者の肺腑《はいふ》にしみわたってくる。

どの作品も、恋愛小説の体裁をとっているが、その実質はむしろ、孤独小説とも言うべきものではないか。人生、こんなはずではなかった。どうしようもなく過ぎ去ってしまった時間。取り返しのつかない過去。主人公の誰もが、不本意な悔悟《かいご》の念にとらわれている。恋愛は、そこから抜け出るひと筋の可能性の象徴なのだ。

では、人びとはなぜこうも孤独なのだろう。

それは、戦後という時代の失敗である。著者・浅田氏は、そんな診断を投げかけているように思われる。

新築の団地に移り住んだ喜び。青春の輝き。高度成長の喧騒《けんそう》のさなか、希望に満ちたあのころは遠い過去となった。幸せの予感は、満たされなかった。どの物語も、主人公は、砂を嚙《か》むような苦い回想を背に、出口の見えない現在に閉じ込められている。世界は壊れている。

とりわけ、家族が壊れている。借金逃れの偽装離婚をきっかけに、実際に離婚してしまった夫婦。思う相手と結ばれないまま不本意な独身生活を続ける男女。巣立った子どもを見送り夫に先立たれ、孤独死を選ぶ老婦人。濃密な家族のつながりからはじき出された人びとの、心の孤独が点描《てんびょう》されている。

一つひとつの物語は、類型的でいかにもありそうだが、事件をはらんでいる。登場人物はどこにでもいそうだが、他人に推し量れない極端な部分をもっている。そうした設定と人物の交《こう》叉《さ》する焦点に、著者は物語の核をひとつずつ結晶させている。

それぞれの物語のどれに深い思い入れを抱くかは、読者によって異なるだろう。けれども、読者も孤独であるならば、こうした類型的な設定のどれかが当てはまり、人ごとではない事件として、その物語を体験する。街角の占い師に吸いよせられ、出来合いの類型的ストーリーのどれかを納得して聞くことになる悩める人びとと同様に、あなたもなるほどと物語にひきこまれる。そして、世界はきっと、一人にひとつずつの、こうしたさまざまな物語に満ち満ちているのだろうと得心する。

浅田氏の文学が、読者を動かす感動の核心は、物語が類型的にできていることによるのだと、私は思う。新聞記事やゴシップや患者のカルテが類型的であるのと同じように、浅田氏の紡ぎ出す物語は類型的である。それはより多くの読者を、その平均値において確実にとらえるための工夫なのだ。

私は、ここで唐突だが、構造主義の神話理論を思い出した。

構造主義によれば、神話というものは、いろいろな要素（英雄／怪獣／美女／……、退治する／結婚する／交換する……）を組み合わせることで出来あがっている。そして、ある神話の要素をいくつか置き換えると、別な神話が姿をあらわす。そうした一連の神話の背後には隠れた〈構造〉があって、そこに人びとの無意識が反映されている。

浅田氏の紡ぎ出す短編が、読者に与える印象は、神話と似たような効果なのではないだろうか。それは、経済成長の夢が終わった戦後日本の心象風景をかたどる、神話的な記述なのである。

作家としての浅田氏の手並みは、修練した職人を思わせる。人物や状況を類型化し、それを組み合わせてプロットを構成する。そこでは、地名の果たす役割も大きい。歌舞伎町《かぶきちょう》や赤坂《あかさか》、中山《なかやま》競馬場、東京の近郊といった設定は、人びとの記憶の蓄積《ちくせき》をたぐり寄せ、想像力を動員するための有力な手段になっている。

浅田氏の作品世界は、このように考えると、危うい均衡のうえに築かれているとも言える。構成される作品世界の要素は、精密に計算されたさまざまなイメージの平均値、すなわち、類型である。そうした要素が組み合わさって構成される世界は、同時代の読者の平均値に照準している。これが嚙《か》み合うとき、読者は、これこそ自分の読みたかった作品だと感じるはずだ——と、いちおうは言える。

けれども、類型どおりの世界が文字どおりに実在するわけではないし、平均値ぴったりの読者が作品を読むとも限らない。そこで実際には、ある程度の誤差をあいだに挟《はさ》んで、読者は作品と出会うことになる。その誤差を認知しつつ、「これは類型的に書かれた物語だ。世の中にはこういうこともあるだろう」と抱きとめ、自分をその類型の世界に当てはめて共鳴していくのが、浅田氏の作品世界の楽しみ方なのである。それは、著者と読者との共同作業である。

すると、誤差が大きすぎるか、自分の個別性にこだわりすぎるかして、類型の世界に身をゆだねることができない読者がいた場合は、どうなるか。そういう読者は、類型の世界を、通俗と受け取るかもしれない。そして、著者との共同作業を拒否する。

著者は、こういうタイプの読者も意識しながら、類型をより研《と》ぎ澄《す》ませることで、それに対抗しようとする。より多くの読者を獲得することが、類型の精度と鮮度と確度を証明することになる。この、著者と読者の闘いにも似たかけひきが、浅田氏の作品世界を成り立たせる危うい均衡なのである。

多くの作家は、類型には当てはまらない、個性の強い人物や特別の事件を作品世界の中心に置くことで、類型の世界を相対化し、自分の位置を確保しようとする。

それに対して浅田氏は、類型の造形に徹底することで、作品世界の奥行きを深めるという方法をとっているように思われる。いわば、類型を使って類型をつき破る試みだ。

これは、興味ぶかい行き方である。そして、試みる値打ちのある行き方でもある。

というのは、読者は一人の作家の作品ばかりを読むのではなく、同時代の作家の作品を読み比べて、それぞれの作家が時代をどのように切り取り、めいめいの世界を構築するかを比較するものだからである。それぞれの世界の違いのなかから、同時代を理解しようとする。浅田氏の作品世界は、そうした典型的なもののひとつだ。

さらに言えば、浅田氏には、作品世界と同様にこの現実そのものも、類型によって出来あがっているという強い仮説があるのではないか。人びとは、都会に出ようとし、サラリーマンになろうとし、結婚して子どもをもうけ、幸せな家庭を築こうとする。人びとが現実そのものを、空虚《くうきょ》な類型のうえに組み立てようとしてきたのではないか。類型からなる物語が、読者を引き込むことができるなら、その仮説が証明されることになる。浅田氏の作品世界は、戦後のなかで脹《ふく》らんだ空虚を、類型を積み重ねることで近似し、その曲率を計測する試みなのだ。

こうして、浅田次郎氏の作品は、二重の相においてあらわれることになる。

いっぽうでそれは、類型を操って作品世界を組み立て、平均的な読者のカタルシスをねらう職人芸である。その手並みを妬《ねた》むあまり、「通俗」のレッテルを貼《は》る人びともいるかもしれない。

もういっぽうでそれは、もっと強靭《きょうじん》で本質的な仕事にみえる。それは、戦後という名前の空虚を、同じ程度に空虚で平均的な類型の積み重ねによって記述し、神話的に再構成しようとする積極的な努力であり、戦後の本質をつかみだそうとする強固な意志である。

実際の作品は、このどちらともつかないかたちで、読者の前に置かれているようにみえる。その二重性＝両義性が、浅田氏の作品の本質なのかもしれない。

光文社文庫

見《み》知《し》らぬ妻《つま》へ
著　者　浅《あさ》田《だ》次《じ》郎《ろう》

2001年4月20日　初版1刷発行
2007年4月20日　17刷発行

発行者　篠原睦子
印　刷　萩原印刷
製　本　ナショナル製本

発行所　株式会社　光文社
〒112-8011　東京都文京区音羽1-16-6
電話（03）5395-8149　編集部
8114　販売部
8125　業務部
振替　00160-3-115347

ISBN978-4-334-73135-9　Printed in Japan

お願い　光文社文庫をお読みになって、いかがでございましたか。「読後の感想」を編集部あてに、ぜひお送りください。

　このほか光文社文庫では、どんな本をお読みになりましたか。これから、どういう本をご希望ですか。

　どの本も、誤植がないようつとめていますが、もしお気づきの点がございましたら、お教えください。ご職業、ご年齢などもお書きそえいただければ幸いです。

光文社文庫編集部